Homm...

LES LETTRES CHINOISES

DU MÊME AUTEUR

La Mémoire de l'eau, Leméac, 1992

YING CHEN

LES LETTRES CHINOISES

roman

LEMÉAC

L'auteur tient à remercier le ministère de la Culture du Québec, qui a accordé une subvention pour la rédaction de ce roman.

Mise en pages : Mégatexte

ISBN 2-7609-3157-9

Imprimé au Canada

Pour Wu Ling

1

Me voilà à l'aéroport de Vancouver. Il me faut prendre un avion canadien pour continuer mon trajet. En attendant l'heure du départ, je veux te redire, Sassa, ma souffrance de te quitter. Quand je suis monté dans l'avion, tu souriais. Comment peux-tu me faire cela, ma maligne? Comment peux-tu ne pas pleurer un peu à un moment pareil? Il est vrai que tes pleurs ne sauraient pas mieux me consoler. Mais ton sourire muet, ton sourire intelligent et moqueur m'a troublé. Il est imprimé dans ma mémoire et engendrera des douleurs qui m'accompagneront désormais sur le nouveau chemin de ma vie. Est-ce bien cela que tu voulais, hein?

Il est inutile de te donner des explications. Tu peux tout comprendre et tout supporter sauf cela. Ainsi, tu trouves normal que j'abandonne une terre qui m'a nourri, pauvrement, pendant une vingtaine d'années, pour un autre bout du monde inconnu, que je quitte une belle jeune fille pour aller saluer une tante «américaine». Tu m'as même dit que tu apprécies en moi cette espèce d'instinct vagabond. Mais tu ne veux pas croire que c'est en quittant ce pays que j'apprends à le mieux aimer. Le mot «aimer», tu le trouveras peut-être trop fort. Pourtant, je pourrais dire que c'est aujourd'hui, bien plus qu'à d'autres moments de ma vie, que je ressens un profond besoin de reconnaître mon appartenance à mon pays. C'est important d'avoir un pays quand on voyage. Un jour, tu comprendras tout cela : quand tu présentes ton passeport à une dame aux lèvres serrées, quand tu te retrouves parmi des gens dont tu ignores jusqu'à la langue, et surtout quand on te demande tout le temps de quel pays tu viens. Pour pouvoir vivre dans un monde civilisé, il faut s'identifier, c'est cela.

Ta pensée m'occupe complètement et je vis dans l'espoir de te revoir très bientôt.

Yuan,
de Vancouver

2

Lorsque l'avion est arrivé tard hier soir au-dessus de Montréal, j'ai eu un étourdissement. C'était à cause des lumières. De splendides lumières de l'Amérique du Nord. Des lumières qu'on ne trouve pas chez nous. Je me croyais tombé dans un monde irréel. J'avais les yeux éblouis et le souffle oppressé, Sassa ; tout comme quand, un soir d'été devant l'entrée du collège à Shanghai, tu m'avais regardé en face et souri pour la première fois.

La ville était couverte d'une épaisse neige de janvier. Mais je sentais une chaleur monter très haut, monter jusqu'à envelopper doucement l'avion.

Dans la salle d'attente, il m'a fallu quelques minutes pour comprendre le fonctionnement d'un téléphone automatique. Un monsieur passait devant moi d'un pas pressé. Je lui ai demandé de m'échanger de la monnaie. Il s'est arrêté, un sourire aux lèvres, a sorti de sa poche une poignée de monnaie et l'a mise dans ma main en disant :

— Bonne chance.

J'ai murmuré un merci et l'ai regardé disparaître. On ne dit pas bonne chance à n'importe qui. Il y avait sûrement quelque chose en moi qui l'a poussé à me souhaiter cela. Peut-être ma coiffure, ou le style de mon manteau, ou mon air timide et indécis, ou encore mon accent? Dans cette ville étrangère, quelqu'un m'a donc souhaité bonne chance dès le premier moment.

Une dame dans la soixantaine s'est approchée de moi. J'ai deviné que c'était tante Louise, la cousine de ma mère. Elle m'a dit qu'elle m'attendait depuis une heure mais qu'elle ne m'avait pas reconnu tout de suite, parce que j'étais plus pâle et plus maigre que sur les photos.

— L'air d'ici te fera du bien, a-t-elle dit.

Je reste chez elle en attendant de trouver un appartement. Note bien son adresse sur l'enveloppe et tiens ta promesse, chère Sassa, de m'écrire très souvent.

Yuan,
de Montréal

3

Tes lettres, enfin ! J'ai envie maintenant de prêter ma plus belle jupe à ma sœur, de faire beaucoup de ménage pour maman et de réviser pendant deux bonnes heures mes leçons de français pour faire plaisir à papa. Et tout cela en l'honneur de ton arrivée là-bas ! À force de t'avoir souhaité un bon voyage, j'oublie presque la douleur que m'a causée ce départ. Je suis enfin soulagée de toutes sortes de peurs : que ton avion ne soit en panne au-dessus de l'océan, ou que tu ne tombes dans des mains inconnues et méchantes.

Que d'autre puis-je donc te souhaiter à part la sécurité ? « Bonne chance », peut-être ? Mais je ne comprends toujours pas après quelle chance tu cours. Il me semble que tu as tes chances ici dans ton pays. Tu as tes parents qui t'ont gâté, ta fiancée qui est prête à se jeter dans le fleuve Huang-Pu pour toi, ton poste de travail solide comme du fer, ton petit appartement à toi presque gratuit. Bien sûr, tu avais des ennuis ici, comme moi, comme tout le monde. Tu supportais mal le goût inquiétant de l'eau du robinet, l'odeur étouffante dans les autobus toujours bondés, tes voisins qui te connaissaient mieux que toi-même, ta supérieure qui te tapotait la nuque comme à un petit enfant, etc.

Mais y a-t-il jamais des chances sans ennuis ou des ennuis sans chances? Au collège, nous avons appris un proverbe français : «Après la pluie, le beau temps.» Existe-t-il là-bas un proverbe semblable à celui-ci? Est-ce que les gens y sont aussi optimistes? Moi je poursuivrais la phrase ainsi : «... Et après le beau temps, la pluie (ou la neige).»

Va pour le proverbe. Pour toi, je préfère te souhaiter un beau temps éternel. Je t'embrasse, mon soleil.

Sassa,
de Shanghai

4

Fais attention, ma belle lune, tu risques de te brûler en embrassant ton soleil. Mais il a tellement besoin de toi. Tu es sa seule source d'énergie. S'il se lève tous les jours, c'est dans l'espoir de te revoir. Pourquoi doit-on attendre cette lueur de crépuscule pour pouvoir se rencontrer, pourquoi pas plus tôt?

Le matin, quand j'ouvre les yeux, il me faut encore quelques secondes pour réaliser que je ne suis plus à Shanghai. Je ne connais personne d'autre que tante Louise. Je suis devenu un étranger. Quand je descends dans la rue, je suis visible aux yeux des autres, et tous les autres me paraissent visibles à leur tour. Les voitures démarrent les unes après les autres. Les gens passent sous ma fenêtre, l'air pressé et sérieux. Les talons frappent le pavé avec une cadence qui elle aussi me paraît exagérée. Je comprends qu'il faut les rejoindre, faire comme eux, me fondre parmi eux. Cela seul me donnerait l'impression d'exister. Mais je ne sais pas comment. Je ne sais plus comment exister.

J'ai pourtant beaucoup de choses à faire. Hier, je suis allé à l'université. La température était de moins vingt degrés. Les bottes que tu m'as achetées au meilleur magasin de Shanghai convenaient mal au chemin d'ici couvert de glace salée. Je tâchais de tomber le moins possible. Je devais en plus faire très attention pour ne pas confondre les noms des rues. Le campus se trouve tout près de mon logement. Mais j'ai mis une bonne heure pour y arriver. Je ne distinguais pas non plus très bien le nom de la secrétaire de celui de la directrice. Pour m'inscrire, j'ai suivi plusieurs files dans des bâtiments différents, quelquefois par erreur. J'ai enfin été reçu par la directrice. Elle était d'accord avec mon choix de cours, se gardait de me donner des conseils et s'est aussitôt relevée de son fauteuil. Je lui ai demandé comment travailler dans une bibliothèque. On m'avait dit que les bibliothèques d'ici ne fonctionnaient pas de la même façon que les nôtres. On utilise des ordinateurs pour chercher les livres et ensuite on doit les sortir soi-même des rayons. La directrice m'a répondu, d'un ton très poli :

— Cela ne me regarde pas.

Et elle est sortie du bureau pour appeler un autre étudiant. Lorsque nous avions été engagés tous les deux dans le même institut à Shanghai, il y a quelques années, la directrice nous avait accompagnés à la bibliothèque où elle avait mis une heure à nous montrer comment chercher les livres et quels étaient les périodiques qui concernaient le plus notre travail. Et elle s'occupait aussi de beaucoup d'autres choses, nous scrutait des pieds à la tête, se souciait de nos loisirs comme de notre logement. La directrice d'ici est donc différente de la nôtre. C'est très bien, n'est-ce pas, que les directrices comprennent qu'il existe encore dans ce monde certaines affaires qui ne les regardent pas. Enfin, je suis allé à la bibliothèque avec Nicolas, que j'ai rencontré hier et qui s'est inscrit au même cours que moi. Il m'a conduit jusqu'au comptoir des renseignements :

— C'est ici que t'aurais dû poser ta question.

Et il m'a donné beaucoup d'autres conseils. Nous avons échangé nos numéros de téléphone. J'ai gardé son numéro avec précaution.

J'ai promis de te raconter tout ce que je vis ici. Mais maintenant je ne sais plus si c'est possible. Il m'arrive des événements presque chaque instant, sauf quand je dors... Les choses vont à un tel train que je trouve ma vie peu normale. Ce matin, par exemple, j'ai décidé d'aller chercher des bottes d'hiver. J'ai d'abord visité une petite boutique bien décorée. Les bottes semblaient de bonne qualité et le service était bon, un peu trop bon même. Habitué aux célèbres sautes d'humeur des vendeurs de Shanghai, j'étais complètement décontenancé devant les sourires courtois et les propositions tenaces qui m'enveloppaient dès l'entrée. Je n'ai pas pu choisir quoi que ce soit parce qu'on me suivait et me parlait tout le temps. J'ai dit que je voulais juste faire un tour et regarder. On m'a alors laissé tranquille, sans toutefois me quitter d'un regard plein d'attente. J'ai senti ce regard me poursuivre jusqu'à la rue quand je suis sorti de la boutique, honteux comme un soldat évadé. J'ai décidé d'aller dans un grand magasin où il n'y avait presque pas de service. Nicolas déteste ce genre de supermarché qu'il juge inhumain. Pas moi. Je voyais dans la froideur du supermarché le pendant du style des bibliothèques : la liberté de l'esprit. Je me promenais alors dans ce grand magasin, la tête un peu alourdie par une voix qui criait dans la radio et par la vue d'une quantité folle de marchandises. Quand j'ai enfin trouvé le rayon des chaussures, je me suis jeté sur le divan à côté et n'ai pas eu la force de bouger pendant plusieurs minutes. Les bottes se présentaient dans une vingtaine de styles différents. Le choix était tellement grand que j'avais de la difficulté à me décider. Toutes me semblaient bonnes, vraiment meilleures que les bottes de notre pays. J'en ai finalement pris une paire qui me paraissait plus solide. J'ai payé comptant, alors que les autres clients payaient avec une carte. Tout ce qu'ils avaient à faire, c'était de donner une carte au vendeur, signer un papier et reprendre la carte. N'est-ce pas magique? La curiosité m'a poussé à examiner attentivement l'une de ces cartes. La malheureuse propriétaire de la carte a jeté sur moi un regard soupçonneux et, ayant rapidement fermé son portefeuille, s'est enfuie du comptoir.

Tu vois, Sassa, j'ai beaucoup à apprendre. La curiosité, disparue peu à peu avec ma jeunesse, a ressuscité en moi. J'ai l'impression d'avoir rajeuni. Je vis comme un nouveau-né. Y a-t-il pour nous, les mortels, rien de plus intéressant que de renaître? Je suggérerais donc à tout le monde de s'expatrier. Toi la première, bien sûr.

J'ai besoin de toi. Tu sais combien les nouveau-nés sont solitaires.

Yuan,
de Montréal

5

Comment ça va, mon père? Est-ce qu'on vous permet enfin de travailler à domicile? Pour vous dont le dos a été cassé une fois, c'est trop dangereux de vous rendre au bureau dans des autobus pleins. Et maman, comment va-t-elle depuis mon départ? Je n'oublierai pas le geste désespéré qu'elle a eu au moment où je suis monté dans l'avion. Elle ressemblait à une mère qui envoie son fils au front.

Comment la convaincre que je suis très bien ici? Dites-lui peut-être que je n'ai plus à prendre ma douche dans une salle de bains publique. Le matin, quand je saute dans la baignoire à la maison et plonge sous la chaleur de l'eau, je me sens plus que jamais à l'abri. Je n'ai plus à me découvrir devant des gens connus et inconnus et à me sentir ainsi dépourvu jusqu'au plus profond de moi. Maman n'aura plus à me dire de temps à autre : «Il faut que tu te laves plus souvent, mon enfant.» Je sens bon maintenant. Je redeviens frais. Je suis content de moi-même. Je commence à aimer un peu cette vie.

Si cela ne suffit pas à la consoler, dites-lui encore que la lune d'ici est plus belle que celle de notre pays. Elle est plus grosse et plus claire. Elle a l'air en bonne forme. Maman, elle, comprendra très bien que c'est important pour moi d'avoir au-dessus de la tête une lune en bonne santé : j'étais autrefois inquiété par cette pâleur, cette fragilité de notre lune qui, trop souvent assombrie par les nuages, semblait prête à se transformer en eau, à tomber du ciel et à mourir sous nos pieds. Parfois, quand j'étais malade, je me demandais si ce n'était pas un peu à cause de cette lune. Ce n'était pas juste. Mais vraiment je ne voulais pas mourir avec elle. J'ai très mauvaise conscience d'avoir refusé de mourir avec notre lune. Je suis donc content quand tante Louise me dit :

— Sois raisonnable, jeune homme. La lune, ça ne meurt pas. Elle vit toujours plus longtemps que nous.

Je m'entends bien avec tante Louise. Elle parle beaucoup de maman, de leur enfance, des fruits séchés de Shanghai. Elle parle de tout cela avec une mélancolie agréable apparemment, sans avoir l'intention d'aller revivre son passé à Shanghai.

— Je suis trop vieille pour voyager si loin, a-t-elle dit.

Elle préfère en garder un souvenir agréable. Selon elle, le souvenir est comme le vin : plus il est vieux, meilleur il est, mais quand on cède au désir de le boire à grands coups, on nuit à sa santé. Sa mère chinoise qui a suivi son mari «gros nez» à Montréal lui a donné le nom de Louise, parce qu'il se prononçait en chinois à peu près comme Lu Yi, qui veut dire satisfaction. Et tante Louise a en effet beaucoup de moyens de se satisfaire. Elle ne s'est jamais assez approchée d'un homme qui l'attirait pour mener une vie commune, de crainte de découvrir en lui quelque détail décevant. Elle n'a jamais demandé la citoyenneté canadienne; ainsi elle peut se dire, quand quelque chose ne va pas : «Je n'ai pas le droit d'être fâchée. En tant qu'étrangère, j'ai eu tout ce que je peux avoir.»

Je lui ai dit ma crainte de la déranger ou de la décevoir en restant ainsi dans son logement et en y étalant tous mes mauvais côtés. En effet, elle a remarqué que, comme tous les nouveaux venus de la Chine continentale, je parle constamment à très haute voix sans m'en rendre compte; je cuisine avec trop d'huile à feu élevé, en laissant échapper une forte odeur qui pollue toute la maison; je parle la bouche pleine à table; je ne me coiffe pas comme il faut avant de sortir. Pourtant, j'ai ma façon de me montrer civilisé et très bien élevé. Je sais, par exemple, me moucher discrètement en présence des autres, en faisant le moins de bruit possible. Or, tante Louise ne prend jamais la peine d'aller se moucher dans les toilettes. Souvent, au milieu d'une conversation sérieuse ou au commencement d'un bon repas, en la voyant sortir son mouchoir tranquillement, je suis saisi d'une anxiété incontrôlable. Elle fait une poussée tellement forte et retentissante que sa tête entière paraît se vider dans son mouchoir. Je sais aussi qu'il faut servir du riz dans un petit bol, approcher le bol jusqu'aux lèvres pour faciliter l'envoi du riz dans la bouche et tenir ce bol avec la main gauche tout le temps jusqu'à la fin du repas. Tante Louise, elle, met simplement le riz dans de larges assiettes comme s'il s'agissait de patates frites. Maman ne me laisserait jamais faire ça! Et je sais aussi dire «non merci» quand elle me propose de prendre un morceau de plus du poisson que j'adore. Malheureusement, ce «non merci» signifie pour tante Louise non pas une manière de parler, une formule de politesse, mais un refus tout court. Il me semble que pour être compris et pour ne pas manquer mon poisson, il me faut désormais apprendre une autre politesse et m'exprimer d'une autre façon, même avec tante Louise, même en chinois.

Malgré tout cela, et peut-être à cause de tout cela, tante Louise ne me laisse pas déménager tout de suite. Elle attend le moment où je m'habituerai un peu «aux odeurs et aux couleurs de cette ville».

Elle vous dit bonjour de sa part. Maman et elle ne se sont pas revues depuis un siècle...

Votre fils,
de Montréal

6

Sans toi, ma vie ne peut plus être la même. Le soleil me semble moins lumineux, et la journée trop longue. Le matin, je trouve peu de force pour me lever. La directrice m'a avertie hier que j'étais déjà rendue à huit retards ce mois-ci. Et elle a ajouté :

— Crois-tu qu'on est en Amérique du Nord où est allé ton beau garçon ? Erreur ! N'oublie pas, chère camarade, que tu es encore Chinoise et que malgré tout tu le demeureras jusqu'au bout.

Son regard sévère et un peu hargneux m'a déroutée. Pourquoi mon manque de diligence lui a-t-il rappelé l'Amérique du Nord ? Est-ce parce que les gens là-bas sont libres d'être en retard ? Rien ne serait impossible dans un pays où le mot «liberté» n'a pas un sens péjoratif. Sont-ils aussi libres d'envoyer promener leur supérieur ?

Da Li sera à Montréal dimanche prochain. Depuis que tu as quitté la ville, je suis souvent avec elle. Je l'aime bien parce qu'elle a dit beaucoup de compliments à ton propos, et je la crois sincère. À part moi, il n'y a personne d'autre au monde qui te connaisse mieux. Après tout, elle te ressemble un peu. Elle est comme une petite boule de verre qui roule facilement. Elle avance, elle glisse, elle saute parfois, et elle s'arrête rarement en chemin. Elle n'a pas besoin de le connaître pour aller jusqu'au bout. Quand nous étions tous les trois au collège, tu n'appréciais pas la perpétuelle insouciance de cette amie. «Une imbécile gaie», disais-tu. Mais au fond, tu enviais cette légèreté de l'existence qui elle seule, selon toi, soutenait l'illusion du bonheur. Toi aussi tu es une boule, une boule un peu moins lisse à cause de ta nature sensible, mais qui roule quand même avec une certaine facilité.

Et si Da Li ignore souvent son chemin, elle connaît très bien son but cette fois. «Je préfère mourir ailleurs que vivre ici», dit-elle. Et elle sait qu'elle ne mourra pas, bien qu'elle n'ait ni parents ni aucun moyen de vivre là-bas avec son visa d'étude. Elle a eu sa façon de persuader l'ambassadeur de la laisser passer. Elle en aura sans doute d'autres de se débrouiller pour le reste. À vrai dire, qu'est-ce qui peut bien empêcher une boule de suivre sa pente? Je crains pourtant que ce petit bijou gai ne se brise quelque part. Je lui ai donné ton adresse, et je suis sûre que tu l'aideras au besoin.

Montréal aura donc une «nouveau-née» de plus. Tu seras désormais moins seul. Seulement, avant de «renaître», j'espère ne pas paraître trop vieille pour toi.

Sassa qui t'aime,
de Shanghai

7

Je décide d'oublier l'idée de travailler à domicile. Si je le demandais, ce serait trop pénible pour le directeur qui comprend bien ma situation mais craint que les autres n'en demandent autant. Il s'agirait d'une décision lourde de conséquences. Déjà, tu sais, les employés de notre Bureau des échanges culturels réclament cinq jours de travail par semaine et autant de vacances que les travailleurs occidentaux. Voilà, je crois, le résultat le plus évident des «échanges culturels». Pour ne pas verser d'huile sur le feu, je préfère me rendre au bureau chaque jour, en partant tôt et en rentrant tard, pour éviter les heures de pointe.

Ta mère veut que toi aussi tu sois prudent dans tes déplacements. Son sommeil ne sera pas tranquille si je ne te dis pas cela. Depuis que, tout petit, tu as été frappé par une bicyclette, elle a constamment peur des véhicules. Eh bien, mon fils, tu écouteras ta mère, n'est-ce pas?

Moi, je dirais que c'est toujours bon d'être prudent : prudent en route, prudent à table, prudent en paroles, et prudent à beaucoup d'autres égards. Selon les renseignements que je peux obtenir ici, j'ai l'impression que non seulement les voitures abondent là-bas, mais aussi les nourritures, les paroles, les idées, etc. À ta place, je mangerais juste ce qu'il me

faut, mais pas plus. Je ne dirais que les choses nécessaires. Je limiterais également ma pensée pour éviter
la confusion. En un mot, j'essaierais de maintenir
l'équilibre du corps et de l'esprit dans un lieu où les
choses nous sont d'une proportion peu familière.

Que penses-tu des cours d'informatique? Est-ce
que tu les suis bien? T'es-tu inscrit à un cours de
langue? C'est important, la langue, non seulement
pour tes études mais aussi pour ta vie quotidienne. À
ce moment-ci, tu le comprends sans doute mieux que
moi. Tout dans les pays modernisés semble fonction-
ner par papiers. Les papiers sont stricts, lucides, effi-
caces. Mais ces inventions des humains, tout comme
les logiciels, peuvent perdre par accident le bon sens
et devenir presque inhumaines. Alors, quand tu recevras des papiers concernant ton statut, tes études, ton
logement, tes achats et autres choses, tâche de les lire
attentivement. Tu n'avais pas l'habitude de te soucier
des détails quotidiens, car ici le système — ce système
que tu blâmais tant — s'occupait de tout pour toi, à
condition bien sûr que tu surveilles un peu tes paroles.
Il te faut donc commencer dès maintenant à t'adapter
au nouveau mode de vie. Ne va pas croire que rien
qu'en changeant tes habits et en mangeant du pain au
lieu du riz tu réussisses à changer ta vie.

Dis bonjour à ta tante, et nos remerciements
infinis pour son hospitalité.

Ton père,
de Shanghai

8

La directrice t'a donc encore grondée, ma pauvre. Tu peux imaginer combien je la déteste en ce moment. Je la déteste, parce que je ne suis plus là pour rire avec toi de cette tête de bois. Elle sait très bien qu'il n'y a pas beaucoup d'ouvrage à faire dans le bureau et qu'on passe ses journées dans une tasse de thé amer. Pourtant, elle veut qu'on soit là à l'heure. Je me souviens encore comment elle se tenait devant la porte ou derrière les rideaux des fenêtres pour épier les arrivées de ses subordonnés. Elle restait ferme. Elle ne reculait pas devant les figures rendues lasses par la pâleur du petit jour. Mais elle avait le moyen de les récompenser. Plus tard, pendant les heures de travail, on serait libre de lire son journal, de prendre son petit déjeuner, de bavarder, de se disputer, de dormir un peu... Tout cela à condition qu'on fasse quelque effort le matin pour témoigner de son respect à l'autorité de sa directrice et pour lui réaffirmer l'importance de son poste. Que veux-tu d'autre, chérie ? La liberté a ses limites.

Dans la société d'ici, la liberté a peut-être un visage différent, mais elle me semble avoir le même caractère. Nicolas travaille dans une entreprise privée tous les jours de deux à cinq heures. Il mange parfois avec moi avant d'aller au bureau. Je comprends peu à peu qu'il ne faut pas le questionner sur les détails de son travail pendant le repas, sinon il froncera un peu les sourcils et son appétit diminuera. Il ne veut surtout pas parler de son patron. Lorsque le cours se termine tard à midi, il court à l'autobus comme une flèche, l'estomac vide et le dos un peu courbé. Cependant, il est libre d'être en retard et même d'être absent. Il ne sera pas grondé pour cela. Il est de plus libre d'abandonner son patron en se trouvant un autre emploi. Mais il ne le fait pas.

— Du boulot, m'a-t-il dit, ça se trouve pas facilement. Et puis on perd son temps en allant traîner ailleurs : c'est partout pareil.

L'expérience de Nicolas m'effraie. J'ai voulu me libérer un peu en quittant Shanghai. Et maintenant je cherche un patron à Montréal. Je serais employé, discipliné, payé ou congédié. J'ai *choisi* de vivre tout cela : je me sens donc presque libre. Mais crois-tu que je le suis vraiment ici plus qu'ailleurs ?

Si la directrice t'ennuie trop, Sassa, tu pourrais très bien ne plus la revoir. Tante Louise a l'intention de te faire venir le plus tôt possible. Entre-temps, je vais travailler quelques heures dans un garage pendant les week-ends et tu auras un revenu plus élevé que ton salaire actuel. Ainsi, tu auras le temps d'améliorer ton français et de faire mille autres préparatifs. J'espère que tu acceptes cette proposition. Nous ne pouvons rien contre l'espace qui nous sépare cruellement. Profitons au moins du « décalage » de salaire.

T'embrasse.

Yuan,
de Montréal

9

Je suis deux cours d'informatique le jour et un cours de français le soir. En classe, je n'arrive pas encore à répondre au professeur, parce que très souvent je ne comprends pas les questions. Mes réflexes semblent ralentir depuis que je suis ici. Le professeur n'ose plus me poser de questions de peur de mes «Pardon?». À vrai dire, père, j'ai un peu honte de moi-même. Alors Nicolas m'a dit :

— Ça vient avec le temps. Pense qu'on n'a même pas, nous autres, le courage d'aller suivre un cours en chinois!

Il me prête ses notes et je mets trois fois plus de temps que les autres pour étudier les matières.

Je ne pratique pas beaucoup le français en dehors du campus. Crois-moi, cher père, ce n'est pas par paresse. Partout où je vais, on a tendance à me parler anglais. Alors, oralement, je fais plus de progrès en anglais qu'en français. Il est plus naturel, paraît-il, qu'un Asiatique parle anglais. Quelquefois, j'insiste pour parler français, mais dès que je fais une faute, on passe à l'anglais. Cette attitude m'a beaucoup découragé au début, car je croyais qu'on me parlait anglais parce que mon français n'était pas bon. Puis Nicolas m'a dit qu'on fait cela plutôt par courtoisie. Je découvre que la vie n'est pas vraiment insupportable pour ceux qui vivent dans un pays étranger dont ils ne maîtrisent pas parfaitement la langue. «Ah, se dit-on, ces gens-là ont la difficulté de la langue.» Et d'un geste las, on pardonne tout.

Je ne me pardonne pas d'avoir eu une mauvaise note pour le devoir de la semaine dernière. Il faut que je fasse plus d'efforts. Je vous écrirai plus longuement la prochaine fois. Je pense beaucoup à vous et à maman.

Votre fils,
de Montréal

10

Ni Hao, Sassa!

Je suis arrivée à Montréal dimanche dernier. Le voyage était bon. Su Yuan est venu m'attendre à l'aéroport. Il est devenu plus élégant maintenant avec ses habits américains. Je ne l'ai pas reconnu tout de suite. Mais dès qu'il s'est mis à parler, j'ai vu qu'il n'avait pas changé, c'est-à-dire qu'il n'est pas plus américain que moi.

— Tu es arrivée, a-t-il dit en prenant mes valises mais en oubliant de me serrer la main. Tu es fatiguée? Tu as faim? Tu veux dormir?

On est en Amérique maintenant. Il ne peut donc pas penser à des choses moins élémentaires!

J'habite en ce moment chez une vieille dame qui vit seule. Je dors tous les soirs dans son salon sans payer de loyer. En échange, je suis chargée de faire le ménage. Je deviens donc mi-domestique, mi-coloca-taire. J'aurais pu travailler pour elle à temps plein. Mais je préfère me garder la liberté de sortir de la maison quand je veux. J'arrive à payer mon épicerie en travaillant quelques heures dans un restaurant chinois. Sans permis de travail, je gagne trois dollars de l'heure.

La maîtresse de la maison ne parle pas français. Le fait que je parle mieux le français que l'anglais lui inspire beaucoup de curiosité et une certaine admiration. Il me semble que je l'intéresserais moins si je parlais seulement l'anglais. Nous nous entendons donc bien la plupart du temps. Seulement, la salle de séjour est trop petite pour nous deux, car la vieille dame n'est plus très mince. Elle ne me bousculerait pas de temps à autre si elle était moins pressée. Hélas, elle marche toujours à petits pas précipités. Je sais bien que les gens de ce pays marchent vite dans la rue. Mais je ne m'attendais pas à ce qu'on marche aussi vite à la maison.

Et il y a encore plus étonnant. Le matin, avant le lever du soleil, elle cuisine déjà. En poussant des sifflements continuels de sa grande bouche et de son long nez, elle fait des bruits de vaisselle très forts qui m'arrachent au doux sommeil. Le soir, après avoir regardé à la télévision, comme pour digérer son énorme repas, des scènes de violence ou d'amour accompagnées d'une vingtaine de séquences publicitaires, elle va cuisiner une dernière fois. Puis elle vient parler avec moi qui, fatiguée par ma journée, préfère me détendre un peu dans la paix. Je finis par connaître par cœur ses discours sur les hommes, les affaires, les ingrats, les prix...

L'ennui, c'est qu'il ne reste pas suffisamment d'espace dans le réfrigérateur pour mes aliments. Je ne te dis pas, chère Sassa, combien de kilos il y a là-dedans de bœuf, de porc, de poulet, de fromage, d'œufs, de jus de toutes les couleurs, de pommes, de patates... sans compter les boîtes de conserve qu'elle range dans les armoires. Disons que la vieille dame n'en est pas moins économe. En effet, elle n'achète que ce qui est «en spécial». Mais chaque semaine, dans chacun des nombreux supermarchés d'alimentation, au moins une dizaine de produits sont au rabais, et ma chère hôtesse fait ses courses dans plusieurs supermarchés chaque semaine! Cela doit exiger beaucoup de diligence et d'énergie, n'est-ce pas? Or, elle le fait avec grand plaisir. Souvent, les yeux brillants, elle me montre ses achats : ceci est cheap, cela est cheap, tout est cheap, quel bonheur! Trop de nourriture peut nuire à la santé, lui ai-je dit quelquefois. Il faudrait savoir résister aux publicités, car on baisse et hausse les prix selon d'autres règles que celle de nos besoins, alors que nous ferions mieux de suivre nos propres besoins. Elle comprend tout cela.

— Seulement, a-t-elle soupiré, il n'est pas facile d'être toujours raisonnable.

Je pense déménager bientôt pour avoir un réfrigérateur à moi seule, parce que moi aussi je commence à regarder plus souvent les publicités et à acheter beaucoup plus qu'auparavant. Déjà mon poids augmente un peu. Si ça continue au même train, dans quarante ans, j'aurai facilement gagné le même poids que la vieille dame. Puis-je faire autrement? Les publicités sont plus fortes que nous.

Je vais suivre des cours d'histoire. Cet après-midi, je suis allée avec Su Yuan faire un petit tour sur le campus de l'université. J'ai pensé à toi. À Shanghai, nous avons fait nos études tous les trois dans le même collège. Bientôt, nous allons fréquenter l'université ensemble, dans une ville tout à fait étrangère. Ce sera excitant, n'est-ce pas?

On n'attend que toi.

Da Li,
de Montréal

11

C'est aujourd'hui la fête du printemps. Comment passeras-tu cette journée, Yuan? Il me semble que tu es très occupé là-bas et que tu ne t'en rendras même pas compte.

Une vingtaine de personnes viendront dîner à la maison. Ce sont mes oncles, mes tantes, mes cousins, mes cousines, les épouses de mes cousins et les époux de mes cousines, et les enfants qui portent des noms semblables... Tu sais, j'ai toujours un peu peur de ces gens que je ne connais pas vraiment bien. Ils viennent manger chez nous une ou deux fois par an. Quand ils sont ensemble, ils font beaucoup de bruit comme pour créer une atmosphère de fête. Ils parlent de tout et de rien. Ils ne s'écoutent pas. Mais ils font semblant de se comprendre en faisant des mouvements de tête exagérés. Après le repas, ils s'en vont, fatigués, satisfaits, déployant un dernier effort pour saluer un à un les autres dont ils confondent parfois les noms.

Alors, cette fois-ci, j'ai décidé d'abandonner ma mère et ma sœur à leur besogne de cuisinières et mon père à sa tâche de causeur. J'avais hâte de m'enfuir. J'ai l'impression d'être trop souvent à la maison. Voilà pourquoi je n'accepterai jamais de quitter mon travail et de vivre avec ton salaire de «garagiste», bien que je sois émue par ta gentillesse. J'ai pris mon manteau. Maman n'a rien dit et m'a regardée d'un œil inquiet. Ma sœur, furieuse, m'a suivie jusqu'au seuil :

— Quel bonheur, hein, d'avoir un fiancé à l'étranger ! Tu es différente, désormais. Tu es devenue étrangère. Tu n'as plus à nous aider même pendant la fête !

C'est un peu vrai, ce qu'elle a dit. On n'a pas besoin d'aller à l'étranger pour devenir étranger. On peut très bien l'être chez soi. Quand on ne se sent pas bien ailleurs, on blâme son exil et on se console avec les souvenirs de sa mère patrie, purifiés et embellis par l'imagination grâce à la distance et au temps écoulé. Mais quand on est étranger chez soi, on n'a aucun espace de retraite. On a l'impression de s'exiler dans des abîmes pourtant familiers, sans issue ni consolation. Depuis que tu es parti, mon amour, dans un pays dont l'existence m'échappe complètement, je me sens précipitée vers ces abîmes. Je suis partie moi aussi en exil. À cause de ton absence peut-être, je n'ai plus la force d'aimer mon travail au bureau ni la fête du printemps ni autre chose. Je ne m'accroche plus très bien à mon quotidien. Je glisse. Je finirai peut-être par tomber dans la noirceur qui m'a souvent terrifiée en rêve.

Oh que j'ai besoin de toi, de tes bras et de ta poitrine pour me soutenir, et de tes baisers pour m'oublier.

Sassa,
de Shanghai

12

Quand quitteras-tu cette vieille dame, Da Li?
Que deviendra-t-elle alors? Elle trouvera sans doute
une remplaçante. Mais n'est-ce pas pénible pour elle
de vivre ainsi dans le va-et-vient des étrangères, de
leur étaler sa vie privée et de perdre un peu de dignité?
Cela n'est peut-être plus important pour elle. Quand
on vieillit, on est réduit à une vie élémentaire. Pas
d'exigence. Pas de fierté. Rien que trois repas. C'est
important, les trois repas. On n'a pas peur de trop
manger. On mourra malgré tout. On n'arrivera plus
à sortir de son nid. On risque d'y mourir. Alors on
ouvre grand sa porte. On expose presque toutes les
laideurs d'un mourant. On attend le secours. On
meurt toujours dans l'attente d'un secours.

Où est donc la famille de cette vieille dame?
Est-ce qu'elle a une famille? Et est-ce qu'elle a voulu
une famille?

Je suis ces jours-ci très inquiète à l'idée de devoir
quitter mes parents de plus en plus vieillissants. «On
ne voyage pas loin quand ses parents sont vivants.»
Cette maxime, ma sœur ne veut pas l'entendre. Mais
un jour, quand la mort viendra enfin s'installer entre
nos parents et nous, elle la comprendra. Je peux sentir
la présence de cette mort. Elle est toujours là à nous
attendre quelque part et à préparer son apparition

avec patience et ténacité. Elle ne manque jamais son coup. J'aperçois ses traces sur la peau de mes parents et j'étudie chaque jour sa progression.

Mais pourquoi la vieillesse me préoccupe-t-elle tellement? Aurais-je moi-même vieilli?

— Tu es songeuse comme une vieillarde! a remarqué ma sœur.

Et elle a raison. Quand on est jeune, qu'on a le cœur léger et les reins solides, on ne craint rien. Mais moi j'ai peur. Mon corps s'affaiblit depuis un certain temps et, avec lui, mon esprit, ma volonté. Oui, oui, crois-moi. Tu sais très bien que j'ai toujours eu une santé fragile.

Hier encore, j'avais de la fièvre. Je suis allée voir un médecin traditionnel. Il a mis ses doigts sur mon poignet pendant quelques minutes. Puis il m'a demandé ce qui était arrivé dans ma vie. Je lui ai dit:

— Mon fiancé est parti.

D'un air soulagé, il a conclu tout de suite:

— Ah, ce n'est donc pas grave, ma petite fille. Ce n'est que la tristesse. La tristesse, ce n'est pas grave.

Et il m'a prescrit quelques herbes qui aident à dormir.

Sassa,
de Shanghai

13

Il fait, pour la deuxième fois cette semaine, moins vingt-huit degrés. J'ai marché longtemps dans la rue. Seul. La neige me mordait. Le vent me giflait. Et j'étais presque content.

Me pardonneras-tu, mon âme? Pardonneras-tu à ce garçon qui ne grandit jamais? Que j'ai honte maintenant d'avoir une aussi courte mémoire. Comment ai-je pu oublier de t'écrire pour la fête du printemps? C'était quand même notre fête et notre printemps. Cette année-là, miraculeusement, il neigeait pendant la fête. Je t'attendais sous l'arbre devant la maison de mes parents. Ceux-ci se tenaient dans la salle de séjour dans leurs meilleurs habits. J'avais l'impression d'avoir attendu cet instant depuis des siècles. Enfin, tu as couru vers moi : le printemps courait vers moi. Tes cheveux étaient couverts de neige et des restes de pétards colorés. On entendait à travers les fenêtres l'air du *Mariage d'une fée*. Nous ne nous disions rien. Tu m'as donné la main, et je t'ai conduite chez mes parents. C'était la plus belle fête du printemps que j'aie jamais eue.

Je t'envoie, avec cette lettre, une carte de souhait que j'ai tout à l'heure trouvée dans le quartier chinois. J'espère qu'elle te plaira malgré le stupide retard que j'ai mis à t'écrire.

Tante Louise ne célèbre plus la fête du printemps. Lorsque sa mère vivait, sa famille allait dans le quartier chinois chercher les traces du passé. On prenait un repas pour fêter l'occasion. C'était tout. Tante Louise n'aimait pas beaucoup les restaurants semi-chinois : ils n'étaient ni d'ici ni d'ailleurs. Ils étaient à la fois tout et rien, un peu comme sa mère et elle-même. La vraie fête du printemps, pour elle, celle qu'elle a vécue dans l'enfance avant de quitter son pays, c'est de passer avec sa mère des journées entières à cuisiner ; c'est de manger ensuite une dizaine de plats graisseux sans prendre la précaution d'essuyer ses lèvres ; c'est de ne pas manger de riz ; c'est d'avoir finalement mal au ventre ; c'est d'entendre partout dans les ruelles les explosions des pétards entremêlées des cris gais et pieux. À Montréal, tante Louise préférait décorer l'arbre de Noël pour son père. Depuis que ses parents sont morts successivement il y a quelques années, elle ne fête plus ni Noël ni la fête du printemps. Plus rien. Je me suis demandé si c'était la mort de ses parents qui l'a privée de ces fêtes, ou si celles-ci ont jamais vraiment existé pour elle.

Je suis un peu inquiet pour toi, Sassa. Je te trouve triste depuis quelque temps. Je peux sentir ton corps froid. Je sais très bien comment te réchauffer. Mais je ne suis pas là...

Je pense désespérément à toi.

Ton Yuan,
de Montréal

14

Merci pour la carte, Yuan. Tu es toujours si gentil et si tendre. Tu n'as rien à te reprocher. Je sais que ce n'est pas facile de penser à la fête du printemps lorsqu'il fait moins vingt-huit degrés. Et ce n'est pas un crime d'oublier une fête qui, de nos jours, est devenue presque une routine vulgaire. Plus d'élan de cœur, tu le sais bien, plus de mystère, plus même ce plaisir de décorer que tante Louise aurait pu trouver pendant Noël. On prépare encore beaucoup de plats. Mais on ne mange plus avec enthousiasme : on mange tellement bien tous les jours. Cette année, qui plus est, on interdit de vendre dans la ville les pétards dont l'explosion ferait penser à des coups de fusil. D'ailleurs, à quoi sert-il de faire sauter en l'air ces pétards qui coûtent quand même cher ?

Or, je crains que l'histoire de tante Louise ne devienne un jour la tienne. Il n'est peut-être pas drôle de perdre sa fête. Il est encore pire de ne pas en avoir de nouvelle. Quand on n'a plus de fêtes, on commence à glisser. Toi et moi, nous avons trop tendance à glisser, alors nous avons besoin des fêtes pour nous accrocher quelque part. Tu es parti pour te chercher une nouvelle fête. Il est donc important que tu la trouves et la gardes.

Le vent d'ici est devenu moins froid. Les gens commencent à sortir plus souvent dans la rue, avec leur valise d'affaire ou leur panier de bambou. Tout le monde a la tête basse et le pas pressé. On est pressé de remplir son portefeuille et ensuite son panier de bambou. Maintenant que tu fais tes courses dans les beaux supermarchés (on a commencé à en construire un dans notre ville), te souviens-tu encore de ces paniers de bambou où on met de la viande saignante, des poissons vivants ou des légumes encore tachés de terre ?

Je te cherche partout dans les rues familières, parmi les paniers sales. Mais il n'y a qu'une odeur de sang et le silence des pas qui m'attendent. Quand nous nous promenions tous les deux dans la rue, tu t'amusais à me lâcher soudain la main pour aller te cacher parmi la foule. Mais je t'apercevais tout de suite à travers d'innombrables têtes. Tu revenais alors auprès de moi avec le sourire las d'un prisonnier heureux. Et moi je n'aimais pas ce jeu. Je te battais la poitrine comme une touriste perdue qui frappe une porte.

Mais cette fois-ci, je ne te trouve plus. Ton pas sonne encore à mes oreilles, mais je ne te vois plus.

Tu me manques terriblement.

Sassa,
de Shanghai

43

15

J'ai déménagé dans un appartement non loin de chez tante Louise. C'est un appartement de deux chambres, l'une d'elles étant réservée pour toi. Tante Louise propose de te faire venir avec un visa d'étude, parce que, autrement, cela pourrait prendre deux ou trois ans. Elle nous aidera financièrement jusqu'à la fin de nos études. Ainsi, si tout va bien, tu seras ici avant Noël. Es-tu d'accord? Dis oui, chérie, je t'en prie. Nous serons enfin ensemble, penses-y! Rien n'importe plus pour nous que d'être ensemble, n'est-ce pas?

Notre appartement (c'est bien le *nôtre* si tu n'as pas d'objection) se trouve au deuxième étage d'un bel immeuble. Les fenêtres donnent sur une rue tranquille. Je n'entends rien le jour comme la nuit sauf le bruit que font les branches d'arbres en battant les vitres. Par la fenêtre, je vois des couples jeunes et vieux s'enfiler dans leur voiture ou en sortir. Quand ils se croisent, ils se cèdent la place avec politesse. Ils ne se parlent pas, bien que leurs chiens se cherchent. Chez nous, les humains mangent les chiens. Ici, au contraire, les chiens bénéficient de tant d'aliments, de soins et d'amour que certains individus, ceux qui mendient dans les rues par exemple, auraient, pour se trouver utiles, l'idée de se donner eux-mêmes en repas à ces nobles et charmants chiens.

Eh bien, je vis dans un immeuble où il n'y a que des locataires mais pas de voisins. Tu sais combien je détestais mes voisins dans mon logement à Shanghai. Ma mère disait qu'un voisin est plus qu'un parent lointain, car il te crée des petits ennuis qui remplaceraient de grands malheurs. Mais je n'arrivais pas à aimer ces voisins qui parlaient, hurlaient, riaient et pleuraient dans les escaliers. Je n'acceptais surtout pas qu'ils essaient de me faire vivre à leur façon. Maintenant, je suis libre, je pourrais presque tout faire chez moi. Personne ne me dérangerait. Je suis le seul responsable de moi-même. Et si l'idée me prenait de me tuer? On ne viendrait pas m'en empêcher, bien sûr. On m'en accorderait l'entière liberté à condition que je ne dérange pas les autres. N'est-ce pas ce que j'ai toujours voulu et que j'apprécie encore? Pourtant, je commence à avoir peur de cette liberté qui m'attire comme un trou inconnu. Je suis ahuri par sa profondeur. Les voisins me manquent. J'ai tendance à devenir ce Monsieur Yè qui, selon notre vieux conte, s'enfuit devant un immense dragon qu'il a dessiné avec adoration toute sa vie. Mais je devrais avoir plus de courage que Monsieur Yè, moi qui suis plus jeune et plus moderne que lui. Et surtout, j'ai toi...

Je t'attends. Je compte les jours, les heures, les minutes...

Yuan,
de Montréal

16

Ta mère pense beaucoup à toi, mais elle se refuse à t'écrire. Elle craint qu'une lettre écrite en chinois ne trouble ton cœur et ta pensée. Tu devrais pour le moment oublier ta langue maternelle et ne parler et réfléchir qu'en français. «À Rome, il faut vivre comme les Romains.»

Or, cela ne veut pas dire que tu pourras faire tout ce qu'on fait là-bas. Récemment, le directeur adjoint de notre bureau a connu des moments difficiles. On l'a dénoncé parce qu'il est allé, lors de son voyage d'affaires aux États-Unis, voir des «camarades-sœurs» dans des clubs redoutables. Il a dû cesser de travailler pour rédiger des autocritiques. Sa femme est venue pleurer devant le bureau de direction et déclarer son intention de divorcer. Elle a inspiré beaucoup de compassion. On lui a conseillé de pardonner à son mari et de blâmer plutôt la décadence des pays occidentaux.

Je pense naturellement à toi. Mon fils, tu es quand même un Chinois. N'oublie pas tes valeurs et tes principes. Ne va surtout pas dans les endroits où tu ne devrais pas aller. Ne fais pas un geste dont plus tard tu ne supporterais pas les conséquences. Concentre-toi sur tes études. La science, c'est sans doute ce qui reste de bon en Amérique du Nord.

Sassa est venue nous voir dimanche dernier. Comme elle te préparait une cassette, elle voulait aussi enregistrer nos voix. Elle t'avait chanté une des chansons du *Mariage d'une fée*. Très belle. Elle t'aime, et c'est ta chance. Je la trouve très correcte, cette fille. Elle est sobre comme toujours, sans maquillage ni bijoux, et elle passe le gros de ses temps libres à la maison à lire et à faire le ménage. Elle est tout à fait différente de sa sœur qui elle aussi vient faire un tour chez nous quelquefois. Cette dernière dépense beaucoup d'argent pour s'acheter des vêtements qui semblent n'avoir d'autre fonction que de la couvrir le moins possible, sinon de l'enlaidir par leurs couleurs trop vives et leur style trop recherché. Et il y a pire. Certaines filles se déshonorent jusqu'à coucher avec des garçons sans se marier, les autres tournent en rond devant les grands hôtels à la recherche d'un Américain riche. Oh! que j'ai pitié pour leurs ancêtres! À propos du culte de l'Amérique, j'ai failli oublier de te dire que le fils de notre voisin a célébré, dimanche dernier, son mariage dans un casse-croûte américain. Les cuisses de poulet et les pommes de terre frites ont beaucoup charmé les invités.

Donc, Sassa est restée elle-même quand la ville s'est mise à changer de jour en jour depuis ton départ. Seulement, ta mère la trouve un peu pâle. La jeune fille mangeait peu et ne dormait pas bien. Pour améliorer sa santé, nous lui avons proposé d'apprendre Qi-Gong. Cet exercice de méditation a maintenant la réputation d'être magique.

Ton père,
de Shanghai

17

Je suis allé manger ce soir chez tante Louise qui a réussi à faire venir deux amis en couple, après les avoir cherchés avec persistance par téléphone. Depuis mon arrivée à Montréal, c'est la seule soirée où tante Louise a eu des invités à la maison. Elle courait d'une pièce à l'autre, le visage épanoui comme une enfant.

Ce serait une grande injustice de dire que les gens d'ici sont refermés sur eux-mêmes et indifférents aux autres cultures. Ils sont, dans un certain sens, beaucoup moins bornés que les Chinois. Je les rencontre souvent dans les restaurants chinois mais je ne trouve presque jamais de Chinois assis dans un restaurant français. On n'a pas peur des étrangers ni de leurs particularités. Chaque année, on dépense une fortune pour voyager à l'étranger. Ce qu'on supporte moins, c'est cette ambiguïté qu'on trouve par exemple chez tante Louise quant à son identité. De même, on n'aime pas les restaurants du type buffet chinois au style nord-américain :

— Ce sont des ni A ni B, a dit l'un des invités de tante Louise, des amphibies, des choses mixtes et impures...

Et des immigrants, me suis-je dit.

Si ces deux amis étaient là ce soir, c'était un peu pour moi. Je comprenais bien mon rôle. Il fallait que je sois très chinois, de manière comme de pensée. Et c'était efficace pour les faire parler moins vite, car j'avais parfois de la peine à comprendre leur humour. Je voyais qu'ils n'étaient pas aussi patients que Nicolas, à cause de la fatigue de l'âge, peut-être. Il ne fallait pas espérer qu'ils me disent deux fois la même phrase. Ils voulaient connaître la Chine d'aujourd'hui, tante Louise leur ayant décrit celle d'autrefois. Je leur ai alors parlé de votre récente lettre. Mes auditeurs étaient visiblement déçus.

— Pas vrai, ça? s'est exclamée la femme. La Chine est quand même un pays confucianiste, non?

— Votre père a raison, a ajouté le mari. Ce serait bien dommage qu'il ne pousse un nez américain sur le visage des Chinois.

Ils étaient d'accord avec vous, père. Mais ils sont très différents de vous qui avez vécu dans le dénuement matériel et supportez mal la chasse aux choses. Hier, à table, ils discutaient longuement des nouveaux modèles de voitures et de systèmes de son, malgré leur besoin de savoir qu'existe encore dans ce monde quelque terre pauvre, primitive, lyrique ou très traditionnelle qui sera bonne surtout pour les touristes. Et ce n'est pas tout. Tante Louise m'avait dit qu'ils allaient régulièrement faire des courses «là-bas dans le sud» et qu'ils projetaient d'envoyer étudier aux États-Unis leurs fils qui déjà préféraient les films et les livres traduits de l'américain. Tout cela ne m'étonnait pas, jusqu'à ce qu'ils déclarent, avant de quitter la table, qu'il était devenu urgent de protéger leur pays contre les invasions de toutes sortes, sans mentionner, par discrétion sans doute, les immigrants. N'est-ce pas que cette manière de penser et d'agir paraîtra aux yeux des Chinois un peu... «du chinois»?

Votre fils,
de Montréal

18

J'ai reçu les documents que tu m'as envoyés. Je commence à les remplir, très lentement. Ils me semblent nombreux et compliqués.

Il n'est pas plus facile de quitter son pays que d'y rester. Je devine pourtant que la plupart des gens dans le monde se jetteraient sur ce genre de formulaires si l'occasion leur en était donnée. On vit dans une époque d'exil. Le mal du pays est devenu le mal du siècle. D'ailleurs, a-t-on jamais connu un siècle sans exil? On vagabonde sans cesse d'un endroit à l'autre. Et on va de plus en plus loin. On parle plusieurs langues, moins pour s'enrichir que pour s'effacer. On veut disparaître. Mais est-ce facile quand on est réduit à se déplacer en masse et qu'on a tendance à devenir une «majorité visible»? Je suis un peu découragée par les dilemmes de ce genre. Le chemin à parcourir pour te rejoindre me paraît extrêmement long.

Je vais souvent me promener sur la rue Nanjing. J'aime ces vagues de têtes qui, avec un mélange de chaleur et de froideur, s'élancent vers moi. J'aime cette sensation d'être noyée parmi les têtes qui me ressemblent un peu. J'ai un moment l'illusion de disparaître complètement. Rien ne vaut plus que le bonheur d'une disparition complète de soi. C'est pourquoi je n'ai pas peur d'abandonner une langue pour une autre. Je n'ai pas peur d'être étrangère. En un mot, je n'ai pas peur de m'effacer aux yeux des autres ou des miens. Non, ce n'est pas cela qui m'effraie dans l'exil. Au contraire, je crains de devenir trop visible dans un autre pays. C'est affreux de vivre sous les regards quand on a déjà perdu toute fierté pour sa propre image et pour son pays. Et s'il faut mourir, il vaut mieux que ce soit dans les ténèbres tranquilles que dans les lumières curieuses.

Mon stylo bouge sur les formulaires. J'ai l'impression que c'est mon corps qui traverse ces lignes à la fois précises et déroutantes pour s'approcher de toi.

Ta Sassa,
de Shanghai

19

Es-tu déjà allée au bureau des passeports, ma chère Sassa? Que disent les fonctionnaires? Je sais qu'ils sont exigeants, ces gens-là. Les documents que je t'ai procurés sont-ils suffisants? Et enfin, peux-tu me donner de tes nouvelles plus souvent?

Ta dernière lettre est inquiétante. Tu n'as pas l'air d'aimer cet «exil» qui t'attend. Pour moi, il s'agit plutôt d'une migration, la migration qu'on trouve à chaque époque de l'histoire humaine et chez toutes les autres espèces vivantes. Une migration nécessaire et pas trop douloureuse. Il m'arrive parfois, dans la splendeur des crépuscules, de contempler les volées d'oiseaux. J'admire ces oiseaux qui voyagent à travers l'espace et le temps, construisant partout leurs nids pour chanter leurs chansons. Pour s'envoler, il faut qu'ils sachent se déposséder, surtout de leur origine. Ils ne considèrent pas leurs nids comme leur propriété ni comme leur raison d'être. Voilà pourquoi ils ne connaissent pas la nostalgie ni n'éprouvent de rancune à l'endroit de leur nouveau pays. Au fond, ils n'ont pas de pays, puisque leur cœur simple ne connaît pas les frontières. Et ils sont heureux.

Ainsi, ces oiseaux n'ont pas peur d'être invisibles ni d'être visibles. Même s'ils sont nés dans des ruines ou ont grandi dans des poubelles, ils n'ont pas honte d'eux-mêmes. Ils ne méprisent jamais leur sort. Ils n'ont pas le temps de mépriser quoi que ce soit, parce que leur vie est courte. Ils plongent dans des lumières déroutantes. Ils ont le courage de s'exposer au soleil. Ils se croient beaux comme toutes les autres créatures. Et ils font confiance à bien des choses, y compris la sagesse des humains. Ils s'envolent vers un avenir inconnu, les ailes chargées des poussières du temps et la tête pleine de chansons éternelles.

Da Li s'est inscrite à un cours d'histoire romaine. Elle a trouvé en même temps un emploi à la bibliothèque du campus. Elle vient de s'installer au sous-sol du bâtiment où je demeure, ce qui facilitera ma tâche de «protecteur». Je l'ai aidée à déménager. Elle a l'air très contente d'avoir enfin un petit coin bien à elle. Elle chante tout le temps, comme un oiseau. Il me semble qu'elle n'a pas beaucoup changé depuis toutes ces années qui ont suivi le collège. Je suis vraiment content de la revoir dans cette ville étrangère. Elle me fait penser à toi. Elle t'écrira bientôt.

Va tout de suite te présenter au bureau des passeports, si tu ne l'as pas encore fait. Fais-moi ce plaisir, je t'en supplie. Je t'embrasse follement.

Yuan,
de Montréal

20

Je vous promets, cher père, de bien surveiller mes pieds. Il est facile de tenir cette promesse, car je n'ai simplement pas le temps de les laisser échapper. Les examens approchent et je ne quitte plus mon ordinateur sauf en cas de nécessité absolue.

Hier, Nicolas m'a demandé d'aller prendre un café avec lui. Ce soir, il m'a prévenu qu'il y avait un bon film au cinéma. Comme il n'a pas réussi à me faire quitter mon pupitre, il est devenu inquiet :

— Mais qu'est-ce qui ne va pas ? Reçois-tu toujours des lettres de Shanghai ?

Évidemment, les examens ne sont pas d'une grande importance pour lui. Je me demande s'il lui reste encore, à part son travail au bureau, des choses qui lui importent. Depuis les quelques mois que je le connais, il a changé deux fois d'amie de fille. Ou bien il a été délaissé et pris deux fois. Ce qui m'intrigue dans sa personnalité, c'est qu'il n'a jamais l'air déprimé. Son enthousiasme ne diminue pas malgré les échecs. Ou peut-être n'a-t-il jamais échoué. Ce que je crois un échec ne l'est probablement pas pour lui. Ainsi, il aime bien son cours et il donne souvent de bons travaux, mais il ne faut pas lui demander de sacrifier un bon film pour ses études. Si parfois il reçoit une mauvaise note pour un de ses travaux, il exprime sincèrement son regret. Cinq minutes après, il l'a oubliée. De même aime-t-il sa nouvelle amie, qui s'appelle Marguerite. Il dépense une grosse partie de son salaire pour elle. Lorsqu'il parlait de cette fille, son front rayonnait comme s'il s'agissait d'un premier amour. Cela ne l'empêche pourtant pas de sortir de temps à autre avec une de ces filles qu'il rencontre on ne sait où. Nicolas a un caractère facile et un bon cœur. Malgré son intelligence, il n'est pas du tout exigeant envers les autres. Il faut que les autres soient tout aussi indulgents pour pouvoir l'apprécier.

Nicolas a une phrase fétiche : *Take it easy*. Les mots tels que «sacrifice» et «idéal» n'ont pas de place dans son vocabulaire. Ces mots sont en effet terriblement démodés dans le nouveau monde car son fonctionnement repose en grande partie sur la consommation immédiate. Renoncer à ses plaisirs pour une idée quelconque, pour un but lointain, un diplôme ou une relation stable, par exemple, apparaît souvent comme une bêtise suprême. Tout semble important, néanmoins rien n'est trop important : la sagesse des papillons qui, voyageant dans l'instant, font de leur vie une illusion, une goutte de rosée ou un éclair.

Vous voulez, mon cher père, que je n'oublie pas mes «valeurs» et «principes». Je dois vous avouer que je ne suis pas toujours très sûr du contenu et du sens de ces valeurs et principes. Serait-ce la fidélité et la pudeur dans l'amour ? Ou la quête de la gloire dans les études et la carrière ? Ou la capacité de faire de petits sacrifices en vue des grands conforts ? Je sais seulement que les valeurs auxquelles vous tenez beaucoup excluent presque toujours les plaisirs. Pourtant, vous n'ignorez pas l'utilité des choses. Au contraire. Vous m'avez fortement suggéré de me spécialiser dans le domaine de l'informatique en abandonnant la philosophie, ma matière préférée. Vous jugez l'informatique un meilleur domaine d'investissement au rendement plus intéressant. Les profits sont pour vous plus importants que les plaisirs. Mais au fond, sont-ils vraiment très différents les uns des autres?

Pardonnez-moi toutes ces confusions de pensée, mon père. En attendant que vous veniez m'éclairer un peu, je dois retourner au travail. Je tiens quand même beaucoup à réussir mes études et à faire honneur à mes parents. Tout cela semble être inscrit dans mes gènes. Vous n'avez pas à vous inquiéter.

Votre fils,
de Montréal

21

Comment vas-tu, Sassa? Tu te sens mieux maintenant?

Tu sais, une bonne santé sera absolument nécessaire si tu viens vivre ici. Hier, un étudiant chinois est venu manger au restaurant, en compagnie d'un gros monsieur. Ils semblaient discuter une affaire importante. Avant de partir, le jeune étudiant a pris le temps de s'approcher du comptoir pour me dire dans le dialecte shanghaïen :

— Tu es de la même ville que moi, si je ne me trompe pas? Et tu es ici depuis pas très longtemps, je suppose? Paroles d'ami : ne te fatigue pas trop. Si tu possèdes encore quelque chose, ce doit être ta santé. Eh bien, garde-la. L'Amérique du Nord est un champ de bataille pour les jeunes et les forts, et une immense tombe pour les vieux et les malades.

Voilà une des raisons pour lesquelles j'aime l'Amérique. Ici, on vit dans les champs et on meurt dans une tombe. Une vie parfaitement normale, n'est-ce pas? Or, dans notre ville natale, j'ai l'impression que, faute d'espace, on vit sur la pointe des pieds, et quand on est mort, il faut que notre corps disparaisse dans le feu. Pas une scène pour s'y représenter, ni une tombe pour se cacher. Mort ou vivant, on est perpétuellement suspendu dans le vide.

J'habite maintenant dans le même bâtiment que Su Yuan. Il m'aide beaucoup. Il est comme un grand frère, aimable et sérieux. Grâce à la recommandation d'un de ses amis, Nicolas, j'ai maintenant un emploi à la bibliothèque de l'université. Ma carrière de domestique et de serveuse a pris fin aujourd'hui. Depuis cette semaine, le patron du restaurant a reçu d'innombrables appels pour le poste. Je suis surprise. Dans cette ville où il y a de nombreuses maisons privées qui coûtent des centaines de milliers de dollars, il y a aussi de nombreuses personnes qui se disputent un emploi qui leur promet un salaire d'au plus cinq ou six dollars de l'heure.

Le travail dans ce restaurant m'a fait connaître des choses étonnantes. Outre la cupidité du patron et son horreur des taxes et des bandits, il y avait encore le va-et-vient intéressant des clients. Ce qui me frappait le plus, c'était que nos clients changeaient sans cesse d'amie de fille ou d'ami de garçon ou d'épouse ou d'époux, mais qu'ils restaient étrangement fidèles aux mêmes plats quand ils s'assoyaient au restaurant. Ils commandaient presque toujours les mêmes choses. C'est tout à fait le contraire de chez nous. Ne trouves-tu pas comme moi qu'à Shanghai les gens, fidèles malgré tout à leur compagnon de vie, s'accordent plus de fantaisie à propos des plats? Serait-ce parce que, ici comme là-bas, on a tous besoin d'être audacieux dans un domaine et un peu plus médiocre dans un autre?

Prends bien soin de toi et écris-moi.

Da Li,
de Montréal

22

Je suis contente de savoir que tu t'es mieux installée maintenant. Il t'a fallu si peu de temps, mon
amie, pour te sortir des travaux «au noir» et te trouver un emploi à la bibliothèque qui ne te déplaît sans
doute pas.

Il me semble qu'il est moins pénible de vivre
comme étranger à Montréal qu'à Shanghai. Là-bas,
tu n'as pas, je crois, à payer deux fois plus cher que
les autres ton billet de transport ni le logement, les
repas et les achats parce que tu n'es pas citoyenne ou
résidente permanente. Les étrangers à Shanghai ne
sont pas aussi chanceux que toi. Une amie française,
qui travaillait dans notre ville depuis déjà quinze
mois, se plaignait beaucoup de ce qu'on la traitait
différemment et la mettait systématiquement dans
un ghetto. On lui souriait comme à une princesse.
Mais on montait les prix partout où elle allait, parce
qu'on la croyait riche et obligée de contribuer à la
prospérité du peuple chinois. Il ne lui fallait surtout
pas marchander. Un Blanc qui marchande est très
mal vu et risque d'être considéré comme avare ou
pauvre. Un Chinois peut très bien être avare ou pauvre. «C'est compréhensible, se dit-on. L'argent ne
vient pas facilement. Ce n'est la faute de personne.
C'est à cause du système.» Mais un Blanc n'a pas le

droit d'être avare ou pauvre. Lui qui a eu la chance de vivre dans un monde plus libre ne peut pas nous ressembler.

Les charmes d'une autre culture ne sont qu'illusion pour les étrangers qui découvriront très vite le revers de la médaille, lequel leur semblera d'autant plus laid qu'il est inattendu. C'est pourquoi, avant de retourner dans son pays, ma pauvre amie française a dit :

— Je ne comprends pas pourquoi tant de Chinois veulent quitter leur pays. Ne savent-ils pas que le monde est partout le même ?

Sassa,
de Shanghai

23

Que demanderais-je de plus sinon de pouvoir t'obéir, mon cher maître? Je suis allée au bureau des passeports hier matin. Une file s'allongeait dehors, anxieuse et bourdonnante. La porte du bureau s'entrouvrait pour ne laisser entrer que quelques personnes. On montrait ses humeurs en sortant : colère, joie, tristesse, égarement, inquiétude... Impossible d'aller mijoter tout cela seul, car on était tout de suite entouré par la foule qui fixait sur son visage le regard fou et semblait vouloir y lire son propre destin. Ainsi, avant de franchir la porte, on connaissait déjà parfaitement les quelques fonctionnaires chargés de la distribution des passeports : leur physionomie, leur âge, leur caractère, leur accent, leur horaire de travail et les détails sur leurs goûts. Et il était important de connaître l'horaire des pauses de ces fonctionnaires pour décider à quel moment entrer dans le bureau. De cette façon, on choisissait un peu celui ou celle avec qui on voulait le plus avoir affaire. Par exemple, certaines jolies femmes, confiantes en leur pouvoir sur les hommes, ne voulaient absolument pas tomber dans les mains de leurs semblables. Grâce à leur sourire et à leur patience, elles manquaient rarement leur coup.

Vers quatre heures de l'après-midi, mon tour s'est passé sans histoire. Derrière le guichet, une femme de mon âge a lu mes dossiers et, m'ayant jeté un coup d'œil très rapide, a apposé un timbre sur une feuille de papier. Puis elle m'a dit sans lever la tête :

— Tu recevras ton passeport dans trois ou quatre semaines.

Je suis sortie du bureau avec un sentiment de déception inexplicable. Elle me négligeait, la fonctionnaire. Je n'étais donc plus capable d'inspirer de la jalousie chez les femmes. Je me suis regardée un moment dans la vitre de l'entrée. Et j'ai aperçu une pâleur sur mon visage qui m'effrayait moi-même. Les gens qui attendaient dehors ne sont pas venus me déranger. J'ai quitté l'endroit sous des regards de pitié.

Je serai alors tranquille pendant au moins trois semaines. Trois semaines à ne rien faire. Je m'en réjouis. Si tu savais combien je me sens fatiguée...

Sassa,
de Shanghai

24

Tu auras ton passeport! Quelle bonne nouvelle! J'en suis si excité qu'il m'a été impossible ce soir de rester seul dans ma chambre. J'ai invité Da Li au restaurant. Elle avait mis une jupe à fleurs et riait fort comme autrefois. Elle a beaucoup mangé, l'air très gourmande. Pour la première fois, je l'ai trouvée pas mal intéressante, surtout quand elle parlait shanghaïen. On n'a parlé que de toi pendant le repas.

Il me semble que tu n'es pas aussi excitée que moi. Mais à mon avis, ce passeport vaut pour nous beaucoup plus que l'attention ou la jalousie de ta fonctionnaire! C'est étrange. À chaque événement qui t'arrive, tu trouves un détail insignifiant. Tu grossis ce détail avec ton imagination — formidable, il faut l'avouer — et tu oublies la part principale. C'est pourquoi, à l'école, tu résumais mal les leçons, t'accrochant toujours à des phrases ou des mots. Avec les leçons, ce n'est pas grave. Mais quand il s'agit de l'amour? Comment résumerais-tu un amour?

Je portais toujours une chemise propre quand nous avions rendez-vous. Le jour où mes parents ont proposé de t'inviter à la maison, je n'ai pas pris le temps de changer de chemise avant de courir t'annoncer la nouvelle. Tu as répondu, le regard fixé sur le col noirci de ma chemise, que c'était très bien et que tu serais contente d'aller voir mes parents. Et c'était tout. Je voulais néanmoins un peu plus que cela. Un baiser ou quelque larme, peut-être? Je ne savais pas. C'était quand même un événement. En y réfléchissant bien, j'avoue que tu avais raison. Notre amour n'avait pas besoin de l'assentiment de nos parents. La première rencontre avec mes parents était pour toi un événement tout à fait ordinaire. Et tu n'as pas aimé cette rencontre car, à tes yeux, c'est depuis lors que j'ai commencé à porter des chemises au col sale.

J'aime toujours les «sauts» que tu fais dans tes raisonnements. Mais il faut que tu sois terre à terre pour une fois : concentre-toi, je te prie, sur cet essentiel qu'est notre union. Éloigne-toi des détails concernant ton «exil». Les détails font surtout mal à ceux qui y accordent trop d'attention.

Je t'attends. Envoie-moi encore quelques-unes de tes photos. Je veux que ma chambre soit remplie de ta présence.

Yuan,
de Montréal

25

Tu m'as reproché de trop me soucier des détails. Mais je suis persuadée que ce sont souvent les détails qui dirigent le cours des choses.

Depuis un certain temps, je passe des nuits très agitées. Des rêves bizarres troublent mon sommeil. Hier, par exemple, j'ai lu ta lettre dans mon lit. Comme d'habitude, je l'ai lue et relue. À la quatrième lecture, peut-être, je suis tombée endormie. J'ai vu un inconnu entrer dans ma chambre. Il a posé une enveloppe sur la table de nuit puis il a disparu. J'ai ouvert l'enveloppe. C'était un passeport. La couverture était rouge foncé. Je me suis mise à le lire. Les mots étaient en chinois, mais aussi en une dizaine d'autres langues qu'on me conseillait d'apprendre de toute urgence. Je comprenais vaguement qu'il s'agissait d'un document décidément plus important que mon corps pour traverser les frontières. Les frontières, c'étaient les belles lignes rouges dessinées sur la dernière page du passeport. Soudain, j'ai découvert que le passeport se mouillait de plus en plus entre mes mains. Les lignes dessinées se sont transformées en taches rouges. Une première goutte d'eau est tombée sur mes pieds. Puis une autre. Puis encore. Le passeport ne cessait pas de s'égoutter. J'ai regardé par terre : mes pieds étaient alors trempés d'une flaque d'eau rouge comme du sang. J'ai frissonné de froid. Je me suis réveillée sans couverture, elle avait glissé au pied du lit.

J'ai poursuivi mon rêve. Je me voyais sécher mes pieds avec du joli coton. Lorsque j'ai compris, avec surprise, que c'était une jupe à fleurs, j'ai eu l'idée de l'enfiler. Mais elle était trop étroite pour moi. Comme si les jupes à fleurs ne m'allaient jamais à moi ! Je continuais à l'essayer, dans une incontrôlable fureur, jusqu'à ce que le tissu se déchire, en pleine nuit, avec éclat.

Il est en moi, ce bruit du déchirement d'une jupe à fleurs.

Je ferais mieux de m'arrêter ici. À quoi bon te raconter tout ça ? Ce ne sont que les détails des détails.

Je t'envoie deux de mes photos que tu as prises au cours de notre dernière année au collège. On en a fait de très belles à cette époque-là. Mais quand nous étions ensemble, nous les oubliions. Nous les glissions dans nos tiroirs, car nous n'avions pas besoin de photos pour penser l'un à l'autre. Aujourd'hui, j'en mets une de toi sur mon bureau.

Sassa,
de Shanghai

26

Il est vrai, mon fils, qu'il existe pour nous des intérêts directs et indirects. Et ils sont également importants. Quand tu étais petit, le pays était très pauvre. Il y avait des tickets pour presque tout : des tickets pour les viandes, les œufs, le riz, le lait, l'huile, le sucre... On ne mangeait pas vraiment à sa faim. Chez nous, on avait de la viande ou du poisson une fois par semaine. Un petit morceau pour toute la famille. Ta mère te donnait alors sa part. Elle aimait pourtant la viande. Chaque fois, elle faisait bouillir le morceau de viande dans une grande casserole remplie d'eau. Nous mangions la viande et elle, le bouillon. Un énorme bouillon. De cette façon, elle goûtait la saveur de la viande. C'était devenu pour elle une habitude, ou plus précisément une discipline. Ou, selon ton expression, un sacrifice. Elle n'a jamais voulu cesser ce rituel, tant qu'ont existé les tickets pour les viandes et que ta santé est restée fragile. Je vois encore la scène où, le sourire suspendu au-dessus de son bol de bouillon, ta mère te regardait avaler un morceau de viande. Une combinaison de plaisirs directs et indirects. Une harmonie conquise dans la misère.

Mais crois-tu que la conscience de la discipline, sinon du sacrifice, ne soit plus nécessaire à l'époque de la prospérité matérielle? N'oublie pas, mon fils, qu'une culture sans discipline ne vit pas longtemps. Une personne qui vit exclusivement dans le présent n'a pas d'avenir. Ceci simplement parce qu'un oiseau qui passe toute la belle saison à chanter crèvera en hiver.

Je suis curieux de connaître tes notes d'examens, tout comme ton grand-père l'était de connaître les miennes.

Ton père,
de Shanghai

27

Je dois absolument t'écrire, Sassa. Il est deux heures du matin, et je n'ai pas sommeil. Tu devines peut-être déjà ce qui se passe. Quand nous étions ensemble au collège, nous n'avions jamais besoin de faire une phrase complète pour nous comprendre. Nous nous croyions «âmes-sœurs». Je ne sais pas si cet «écho» qui a existé entre nous a encore son effet malgré l'océan qui nous sépare. Eh bien, voici l'histoire : *je suis amoureuse.*

Je regrette de faire obligatoirement cette phrase complète. J'aimerais parler de cela d'une façon moins banale. Les mots me manquent. Et puis, ce qui m'est arrivé n'est pas grand-chose, c'est même banal au fond : j'ai rencontré quelqu'un. Je le vois souvent. Il est gentil envers moi, comme envers tout le monde. Il ne fait pas plus attention à moi qu'à ces petits garçons de la rue qui lui font des grimaces. Mais hier, j'ai soudainement réalisé que c'est un homme que je poursuis depuis très longtemps dans mes rêves. Je n'arrive plus à chasser cette idée. Je comprends donc que je suis amoureuse. Ma mère m'a toujours dit : «Sois prudente, ma petite fille. Il y a trop de pièges dans les amours de jeunesse : c'est ce qu'il y a de plus dangereux pour un cœur fragile.» Aujourd'hui, la jeunesse s'en va peu à peu de moi. Mais je ne suis pas plus en sécurité. Je peux encore réellement sentir le pouvoir de ces pièges. Je ne sais où cela me mènera. Je suis comme une feuille dans le vent, qui ne connaît pas son itinéraire ni le bout du voyage, que ce soit un jardin en fleurs ou un cimetière.

Mais je suis contente. J'ai quitté ma ville natale surtout pour quitter ma mère et abandonner les «armes» qu'elle m'a léguées. Ce que je supporte le moins chez ma mère, c'est son implacable sagesse. Je ne l'ai jamais vue faire preuve d'enthousiasme ni se mettre en colère pour quoi que ce soit. Le bonheur et le malheur sont pour elle également vains. Ce qui est terrible, c'est qu'elle a toujours raison. Un soir de fête nationale, dans mon enfance, j'ai insisté pour descendre dans la rue voir les lampes multicolores. Ma mère n'a pas voulu me laisser sortir : il y avait trop de monde dans la rue. Et elle a ajouté :

— Qu'est-ce que ces lampes ont de particulier ? Ce ne sont que des lampes ordinaires sur lesquelles on a mis un peu de couleur.

J'ai couru vers ces lampes magnifiquement maquillées. Dans cette nuit chaude et au-dessus des ombres parfumées, les lampes multicolores ne me paraissaient plus terrestres. Je me croyais dans un palais des fées. Je ne marchais pas. Je volais. Les ombres tournaient autour de moi. J'ai fini par tomber dans une forêt de jambes et être saisie et jetée hors de la foule par un monsieur au visage rouge qui grognait. Ma mère est accourue me prendre dans ses bras en murmurant le proverbe qu'elle ne cessera pas de me répéter :

— En se détournant du dire des vieux, on s'approche de son malheur.

Et mon malheur, où est-il aujourd'hui? Serait-il déjà proche?

Mais parlons plutôt de ce quelqu'un. Pardonne-moi de ne pas le nommer ni le décrire. Le nom et l'apparence ne sont pas importants. Je me demande bien comment et pourquoi ce trouble de cœur a pu m'arriver, car je ne sais pas ce que j'aime en lui. La vie a voulu que je l'aperçoive en train d'attendre l'autobus, par ce matin de soleil, dans une rue solitaire. Des lumières d'or coloraient çà et là ses cheveux drus. J'ai contemplé son profil qui me rappelait quelqu'un que j'ai vu dans un de mes rêves heureux. Une auto a passé. Il a tourné la tête de mon côté. Son visage était alors plongé dans la lumière. Il m'a aperçue figée à quelques pas de lui. Il a eu un moment l'air surpris. De cette surprise qu'on a souvent en rencontrant des personnes à qui on pense justement. Puis est venue la gêne. Une gêne qui ne trompait pas. Une gêne qui affirmait que quelque chose s'était passé. Je savais que je m'étais trahie. Au lieu de laisser mon regard coller sur ses yeux, j'aurais dû baisser la tête. Je lui ai fait un demi-sourire, comme pour lui faire croire et me faire croire à moi-même que rien n'était arrivé. Trop tard. Nous nous sommes en vain efforcés de déclencher une conversation comme d'habitude. Après quelques petits mots, nous nous sommes tus, lassés par les lumières qui commençaient à nous réchauffer. Puis le silence. Ô ciel! Je n'oublierai jamais ce silence. J'ai essayé plusieurs fois de m'en sortir. Mais j'étais épuisée. Il était trop dense, ce silence où je me suis perdue. Je lui en veux un peu de ne pas l'avoir brisé. Alors tout serait encore réparable.

Comme il habite tout près de chez moi, je tremble à l'idée de devoir le rencontrer de temps à autre. Est-ce que je te dérange en te parlant de tout cela? Tu sais, le meilleur moyen de chasser une peur, c'est peut-être d'en parler.

J'attends impatiemment ta lettre.

Da Li,
de Montréal

28

Une autre nuit blanche. Un autre instant d'amour qui durerait pour toi des heures, des jours ou des années. Depuis le collège, tu es sans cesse amoureuse. Pourtant, aucune de tes amours n'a eu de suite. Beaucoup flottaient en l'air comme des chansons. Elles s'élevaient et descendaient, changeantes, sans but ni promesse. Dans la solitude des nuits au collège, tes histoires d'amour me charmaient et me fatiguaient. Et aujourd'hui comme toujours, je suis prête à t'écouter. Ce n'est pas pour rien que nous rendions hommage à la pleine lune à la saison des récoltes. Croyant bêtement que la plénitude incarne le bonheur, je n'aime toujours pas les lunes croissantes ni les récits ouverts.

J'aimerais être sûre que, ce jour-là, tu as vraiment été éprise de *quelqu'un,* et non pas d'autre chose qui l'entourait, tels que la fraîcheur matinale et l'éblouissant soleil levant, ou encore la rue vide qui donnait une illusion d'intimité entre vous. Je n'oublie pas le garçon que, un jour, tu avais emmené en visite dans notre dortoir. Tout le mois suivant, tu ne me parlais que de lui. Il avait une motocyclette volée et vous faisiez des tours dans la ville. Plus tard, après que ton héros a été arrêté, tu me parlais encore de vos folies, du charme de la vitesse et de l'oubli de la vie et de la mort. Tu n'as pas aimé le garçon voleur, mais bien ce que sa motocyclette pouvait t'apporter. En un mot, j'espère que, cette fois-ci, tu arriveras vraiment à aimer une lampe au lieu de la couleur qui la décore.

Encore une question : ce *quelqu'un* est-il un Chinois ou un étranger? Car un étranger, pour moi, est aussi une lampe colorée. Chaque fois que je n'écoute pas ma mère, elle pousse un long soupir désespéré en se disant : «Elle est comme une étrangère, cette fille. Pas possible de lui faire comprendre les choses.»

Sassa,
de Shanghai

29

Oui, mon ange, j'ai pris ces deux photos de toi au printemps pendant la floraison. Que tu paraissais simple, modeste et timide! Tout comme les fleurs sans nom qui s'épanouissaient à l'arrière-plan. Nous n'avons jamais voulu connaître les noms des plantes. Ils sont aussi abstraits que les noms des étudiants de ma classe. Les Chinois se donnent des prénoms beaucoup plus sensuels. Rien que penser à ton prénom, c'est tout un poème. Chaque fois que je prononce «Sassa», je pense à la chaleur du sable, à la sonorité de ses soupirs, à la gaieté des pieds nus, à la folie du vent, à l'éternité du soleil et de la mer. Oh, Sassa, ton prénom seul suffit à me remplir de tendresse pour toi. Quand tu viendras, je t'emmènerai à la plage. Nous nous étendrons l'un contre l'autre sur le tapis de sable, n'ayant devant nos yeux qu'un ciel immense. Comme dit un vieux poème:

> *Nos larmes coulent dans la solitude*
> *Le ciel est loin et la terre immense*
> *Inutile de chercher ici et là*
> *Nous n'aurons plus d'ancêtres ni d'enfants.*

Tes photos ont attiré le printemps, car il y a maintenant plus de soleil dans ma chambre. Les gens sortent de plus en plus. Je commence à rencontrer les habitants du bâtiment. Un couple habite l'appartement d'en face. Ils affichaient, semble-t-il, un sourire perpétuel. Leur chien a cessé de hurler à ma rencontre.

J'aime bien la petite boutique au coin de la rue. J'y vais une fois par semaine pour le journal, les billets d'autobus, les timbres... Et aussi pour la patronne. Elle a environ l'âge de ma mère. Nous nous disons peu de mots. Un «Bonjour» ou un «Il fait froid» suffit pour que je la trouve aimable. Une fois, elle m'a demandé si j'étais d'origine vietnamienne ou chinoise. C'était extraordinaire. Généralement, les gens d'ici ont tendance à mettre tous les Asiatiques dans le même sac, en excluant les Japonais. Marguerite, qui est pourtant née à Paris, m'a dit elle aussi :

— Il y a beaucoup de Chinois là-bas dans notre ville, mais très peu de Japonais.

Je lui ai répondu en précisant :

— Oui, beaucoup de Chinois et peut-être aussi beaucoup de Vietnamiens et de Cambodgiens.

Et elle a conclu :

— Mais ce sont tous des Chinois!

Je ne sais plus combien de fois j'ai dû mentionner aux autres qu'un Vietnamien n'est pas du tout plus «chinois» qu'un Japonais, de même qu'un Allemand n'est pas un Italien même s'ils habitent le même continent, et qu'un Québécois n'est pas un Français même si les deux parlent presque la même langue. Mais, avec la patronne de la boutique, je n'ai pas à dire tout ça.

Tu vois, mon logement bien ensoleillé, le chien du voisin qui n'a plus peur de moi, la boutique du quartier, les quelques amis comme Nicolas, tout cela commence déjà à m'attacher à cette ville. Quand notre vie quotidienne se déroule dans un endroit, cela suffit à le rendre unique à nos yeux. Ce que nous aimons en Shanghai n'est pas autre chose que la marée humaine dans les rues, les couchers de soleil, le parfum particulier des boutiques, quelques restaurants préférés, la colère et le fou rire des amis... Ainsi, Montréal est devenue à son tour unique pour moi. Cela ne m'empêcherait pourtant pas de la quitter un jour, tout comme j'ai quitté Shanghai il y a quelques mois. Je serai capable de le faire, Sassa, si après un séjour à Montréal tu préfères retourner à Shanghai. Mais je pense qu'en quittant une ville où l'on a vécu quelque temps, on sent une partie de sa vie se perdre d'un seul coup dans le nuage que l'avion traverse et que le vide en soi devient sans borne comme le ciel.

Les Nord-Américains, eux, ne connaissent pas ce genre de malaises, j'imagine, puisqu'ils restent rarement dans leur foyer. Ils mangent dans les restaurants, voyagent à l'étranger, changent d'emploi et déménagent à une fréquence surprenante. Ils feraient de meilleurs émigrants parce qu'ils aiment l'indépendance et la nouveauté. Mais ne plaisantons pas : pourquoi émigreraient-ils alors qu'ils seraient bien plus à l'aise dans le rôle du conquérant, qu'ils décideraient du destin des autres peuples en les aidant, les « oubliant » ou les punissant, et établiraient ainsi les « ordres du monde » selon leurs goûts ou leurs besoins ? La liberté est à eux.

Je veux que tu te reposes beaucoup en attendant ton passeport. Chaque fois que tu te mets à faire de mauvais rêves, tu es proche d'une crise. Je ne suis plus là pour te soigner. Apprends donc à être sage. Ne me laisse pas ainsi dans l'inquiétude. Tu promets?

Yuan,
de Montréal

30

Si tu crois, mon cher Yuan, que les Américains sont libres parce qu'ils se déplacent facilement, alors les Chinois ne le sont pas moins. En plus des oiseaux courageux et naïfs comme toi qui se croient partout chez eux, les gens d'ici commencent de plus en plus à sortir de leurs murs, à fréquenter les restaurants et autres endroits, à voyager. Depuis ton départ, on dirait que le mot « liberté » n'est plus aussi péjoratif qu'auparavant. Il n'est plus synonyme d'irresponsabilité, d'immoralité ou même de criminalité. On parle maintenant d'une bonne liberté et d'une mauvaise liberté. Mais comme le terme est encore trop chargé, on a eu la précaution de trouver un terme pour désigner la bonne liberté : « ouverture ». Ainsi, de quelqu'un qui porte des habits importés, ou bien avoue son appétit pour l'argent, ou bien ose parler du corps en public et grogner gentiment contre son supérieur, on dit : « Il a un esprit d'ouverture, lui ! » D'une personne qui divorce, ou ne se marie toujours pas, ou se fait plus d'un amour, ou va jusqu'à faire grève, on dit : « Celle-ci dépasse les limites, non ? On est trop libre ! »

Ma sœur, justement, a tendance à devenir trop libre. Même si elle critique tout le temps le gouvernement, ce dernier n'a peut-être pas encore l'intention de la mettre en prison, il paraît donc plus tolérant maintenant. Ma sœur croit sans doute que ce gouvernement est responsable de tous ses malheurs, alors qu'il devrait lui procurer beaucoup de bonheurs. Désespérée, elle veut que, une fois émigrée, je la fasse sortir du pays. Ma mère lui lance ces mots qui la mettent en colère : «Te prends-tu pour une héroïne à détester ainsi ton pays où tu poursuis toutes tes études gratuitement et pour qui tu n'as strictement rien fait?»

Ce que moi je ne supporte pas, c'est qu'elle sorte avec deux garçons. Elle me trouve pitoyable et elle menace de m'exposer un jour dans un musée consacré à l'époque ancienne.

— Te souviens-tu, m'a-t-elle dit, de l'histoire de cette femme qui, à force d'attendre son mari séparé d'elle par une large rivière, est devenue une pierre et plus tard une curiosité pour les touristes?

N'est-ce pas agréable de devenir une pierre en mourant? Mais l'idée de devoir m'exposer aux regards des touristes me terrifie.

Tu sais, plusieurs soupçonnent que la rivière ne soit pas le véritable obstacle pour ce couple, mais bien le cœur de l'amoureux en question. On complète même cette histoire en décrivant le retour du jeune homme dans son pays : il est passé près de la pierre en disant à sa nouvelle épouse qu'il trouvait la statue jolie.

Je pense toujours à toi.

Sassa,
de Shanghai

31

Tu me demandes si le garçon qui me plaît est un étranger. Quand tu dis « étranger », Sassa, je sais qu'il ne s'agit pas des Africains ni des Chinois d'outre-mer. Depuis la guerre de l'Opium, les Chinois ont l'habitude de ne considérer comme étrangers que ceux de race blanche. Un étranger, c'est quelqu'un qui inspire chez nous la peur, la soumission, l'admiration et la rancune. Ces sentiments, je les éprouve chaque fois que je me crois en amour avec un garçon. Ton souci n'est donc pas sans fondement. Préférant dans la vie le côté inconnu et irréel, je pourrais très bien aimer le premier homme blanc qui viendrait à moi.

Pourtant, comme je ne suis plus dans mon pays, la situation est devenue plus compliquée. C'est moi qui suis devenue étrangère. Il te faut à présent reformuler ta question. Au lieu de demander : « Ce quelqu'un est-il un étranger ? », tu devrais dire : « Ce quelqu'un est-il un non-étranger ? » En général, ici comme ailleurs, les non-étrangers n'épousent pas trop les étrangers. Ceux qui le font, ce sont des gens courageux, assez forts pour pouvoir rester la tête haute sous les regards des curieux. Moi, j'ai peur. J'ai peur de rencontrer un « non-étranger » et d'admirer en lui, sinon de lui attribuer, les qualités que je crois surtout occidentales. Je sais que, dans les moments les plus fous et les plus aveugles, je serais capable de lui demander de me «convertir». Je serais ainsi entraînée dans une confusion plus grande de l'existence. En me coupant d'une racine, je risque d'en acquérir une autre. Or, je n'aime pas les racines. Je les trouve les unes comme les autres laides, têtues, à l'origine des préjugés, coupables de conflits douloureux, destructeurs et vains.

Heureusement le destin a mis ce matin-là, dans une rue lumineuse, un «étranger» comme moi, un Chinois émigré, une plante sans racines.

Ai-je répondu à ta question?

Da Li,
de Montréal

32

Les plantes sans racines ne vivent pas, ma chère. Leurs fleurs sont encore plus éphémères. Penses-y!

Au fond, je me sens aussi déracinée que toi, même si je reste encore sur cette terre où je suis née. J'ai toujours l'impression d'être en train de m'adapter à une société où je ne sais pas exactement si je suis «minorité» ou «majorité». Je dois faire beaucoup d'efforts pour parvenir à peine à réagir correctement devant mes parents, mes voisins, mes collègues, mes supérieurs... Je devine que, pour moi, cette adaptation est aussi difficile à Shanghai qu'à Montréal. Je suis née étrangère dans mon propre pays. Et cela vaudrait une sentence beaucoup plus sévère.

Voilà pourquoi je souffre, Da Li. Je ne vais pas très bien. Mon énergie s'atténue de plus en plus. J'ai tellement mal au corps que je ne sens plus ma douleur du cœur. Mais ce ne sont peut-être que des troubles passagers. Ne dis rien à Yuan à propos de ma santé : jure-le! Je ne veux pas qu'il s'inquiète.

J'arrête ici. J'attends toujours la suite de ton histoire.

Sassa,
de Shanghai

33

Je marchais à pas légers dans un corridor lumineux. J'étais persuadée qu'une nouvelle vie commençait. À ce moment-là, je ne pensais même pas à toi, mon pauvre Yuan. Mes jambes étaient molles et je ne trouvais pas de sortie. Les gens me croisaient en parlant une langue que je comprenais à peine. J'ai éprouvé l'envie de pisser. Je me suis arrêtée un instant devant les portes des toilettes et j'ai poussé, confiante en moi, celle réservée aux hommes. Tout allait bien. J'avais quand même un peu mal entre les jambes. Mais cela passerait avec le temps, comme disait le docteur qui avait finalement cédé devant la somme d'argent importante que je lui avais proposée et qui m'avait adroitement changé de sexe. Ce n'était pas facile pour lui qui croyait au bien social et qui se gardait de créer trop de personnes à l'identité confuse. Le docteur avait raison, car je n'avais pas encore relevé mes pantalons qu'un homme robuste est entré et m'a jetée dehors en me hurlant dans les oreilles. Les cris et les sifflements emplissaient le corridor.

Je comprenais, chéri, que je faisais un rêve terrible. Je n'avais pourtant pas envie de me réveiller. Tu as dit que les rêves me feraient du mal. Mais je n'arrive pas à m'en sortir. Ils sont forts comme le destin.

Je me souvenais très bien encore du métier que j'exerçais jusqu'ici dans le bureau de traduction, des paroles incompréhensibles et toujours mécontentes de ma directrice, du *Quotidien de la libération* qui m'attendait sur l'escalier, du passeport auquel tu tiens peut-être plus qu'à toute autre chose, de ma sœur qui faisait des bruits dans son lit au-dessus du mien, et de mille autres ennuis qui, rien qu'à y songer, pouvaient m'étouffer à mort.

Peut-être étais-je trop consciente du réel même dans un rêve? Je n'étais plus dans le corridor lumineux. Je me trouvais dans une rue rendue sombre et froide par les hauts bâtiments parmi lesquels j'ai reconnu celui où se trouvait mon bureau. Des passants aux habits bizarres envahissaient la rue. S'étant probablement habitués à des regards étonnés comme les miens, ils feignaient d'ignorer ma présence. Comme il y avait réunion tous les samedis après-midi, j'avais hâte de rentrer dans mon bureau.

Je suis descendue de l'ascenseur au cinquième étage, mais je n'ai pas trouvé la porte où s'affichaient le numéro 525 et le nom de ma directrice. Apeurée, je suis allée dans le 524 et le 526 demander ce qui s'était passé. On ne comprenait pas ma question, et je me rendais compte que je ne connaissais pas les voisins après quatre ans de travail ici. On ne parlait pas ma langue. J'ai fini quand même par comprendre que ces gens étaient ici depuis très longtemps et que ni le 525 ni le bureau de traduction que je cherchais n'avaient jamais existé dans ce bâtiment. J'insistais bêtement, disant que tout cela devrait avoir existé avant même que ces inconnus s'y installent, puisque je me souvenais parfaitement de cet endroit. On hochait la tête avec un sourire. Je ne croyais pas qu'on m'ait compris ni qu'on ait voulu me comprendre. Qu'importe.

Il était maintenant devenu urgent de me trouver un nouvel emploi, de sorte que ma sœur puisse continuer à me tirer l'oreille pour me réveiller le lundi matin et que ma mère, en fermant la porte, me crie de ne pas tarder de rentrer le soir. Je me suis présentée dans plusieurs agences de traduction. On me disait par gestes qu'on n'avait pas besoin de moi et qu'on me remerciait. On était en train de «se capitaliser». On ne voulait plus que tout le monde vienne s'accrocher à sa casserole de riz. Et puis, on n'encourageait pas le métier de traducteur parce qu'on ne voulait pas avoir trop d'étrangers dans la ville, les étrangers qui peut-être portaient en eux des virus douteux. Enfin, le français, à quoi cela sert-il? Cette langue est aujourd'hui devenue aussi inutile que le chinois. J'ai erré alors d'une rue à l'autre. J'ai fini par franchir la porte d'une boucherie privée, on y trouvait beaucoup de viande, mais moins d'hommes et aucune femme. J'étais prête à tout faire. Le patron m'a questionnée sur l'expérience que j'avais.

— Mais qu'est-ce que tu fais ici, mademoiselle la traductrice? a-t-il dit d'un air averti. Tu ne vas pas, j'espère, jusqu'à prétendre connaître la langue des cochons? Il y a quelques jours, un agent d'une compagnie d'assurances est aussi venu à moi. Il m'a longuement expliqué la nouvelle politique de sa compagnie, en prenant pour cible de marketing la pauvre vie de mes petits cochons. Est-ce sérieux tout ça?!

Le boucher a enfin consenti à m'accorder un essai dans l'après-midi du lundi. Il s'agirait de couper les corps des bêtes et de classer les morceaux de viande par catégories pour qu'on puisse leur attribuer un juste prix.

Il faisait noir lorsque je suis rentrée chez moi. Après toutes les aventures de la journée, j'étais presque étonnée que ma maison soit restée comme elle avait toujours été. Ma sœur n'avait tout de même pas pu m'empêcher de devenir ce que je voulais être. Elle ne pourrait plus rester dans ma chambre, puisque je n'étais plus une «vraie» femme. Elle serait obligée de retourner dormir dans le dortoir de l'université où elle apprendrait à partager une seule petite pièce avec sept autres étudiantes. Un tel échec devrait être cruel pour elle qui était habituée à triompher devant moi.

Il y avait des invités dans la cuisine, puisque c'était samedi soir. Seulement, on parlait cette drôle de langue que je ne comprenais pas. Était-ce possible que ces gens-là aient changé de langue d'un seul coup ? Ou était-ce plutôt autre chose ? Je commençais à m'inquiéter de ce que ma faculté linguistique soit en train de se détériorer à la suite de l'opération de tout à l'heure. J'ai tourné vers ma sœur, la reine de la soirée, un regard désespéré. Elle a chuchoté quelque chose à ses amis, puis d'un air sournois, elle est venue me tirer l'oreille en criant :

— C'est l'heure, entends-tu ? C'est l'heure !

J'étais ravie d'entendre ma langue. Comme on était bien chez soi ! J'avais une envie très sincère d'embrasser ma sœur. Mais alors j'ai éprouvé une douleur aiguë à l'oreille. J'hésitais pourtant à ouvrir les yeux. N'était-ce pas trop tôt ? Mon rendez-vous avec le boucher serait dans l'après-midi.

Je me suis réveillée en sursaut. J'ai quitté la maison pour laisser de l'espace à ma sœur. Elle avait besoin d'être seule pour rédiger sa thèse. Je me suis enfuie au bureau. La directrice avait un regard inquiet en me voyant arriver. Elle a même dit, dans un accès de générosité, que je pourrais rentrer à la maison si je le voulais. Je me suis mise à t'écrire. J'écris des mensonges. Car, selon le dire de Lu Xun dans un de ses méchants articles, si un rêve est une réalité, le récit de ce rêve devient un mensonge.

Sassa,
de Shanghai

34

Il m'invite souvent à faire des promenades, Sassa. Il parle tout le temps de ses études, comme si rien d'autre ne l'intéressait. Pourtant, quand le soleil tombe et que le ciel devient beau, il paraît triste. Nous marchons très loin de notre quartier. Nous arrivons jusqu'au vieux port de la ville. Le vent est encore fort. Le printemps arrive tard dans cette ville. Un jour, il s'est tourné vers moi et a dit :

— Quel dommage qu'elle ne soit pas ici.

Je n'en suis pas fâchée. Que peut-on contre son destin ? Je sais qu'il aime sa fiancée. Il voit en elle son passé, sa jeunesse, ses valeurs et son pays. Il ne veut pas abandonner tout cela et la faire souffrir. Mais sa bien-aimée souffre, selon lui, malgré son amour ou même à cause de son amour. Elle préfère rester dans son pays, non pas parce qu'elle est plus patriote que nous autres, mais parce qu'elle a peur. L'Amérique du Nord est pour elle une immense jungle. Elle ne se croit pas faite pour une telle vie. Elle est plus à l'aise là-bas, dans sa chambre minuscule, sous la surveillance et les reproches qu'on fait perpétuellement aux jeunes. Elle éprouve très peu de désirs spirituels et matériels. Elle refuse le tout ou rien, et elle s'est habituée à cette sécurité modeste au prix de la soumission et de la bienséance. Celles-ci sont deux âmes éternelles de notre race, lesquelles garantissent l'épanouissement, la destruction et la survie de notre culture et de notre personne.

Ainsi, il a commencé à me parler de sa fiancée. Je me contente de l'écouter. Je ne m'empresse pas de me mettre en valeur. Quand il parle d'elle, j'ai l'impression de ne plus exister.

Toute ma vie, j'ai senti cette inexistence. Mes parents m'ont envoyée au collège où je ne savais pas du tout que faire. Puis, je vous y ai rencontrés, toi et Su Yuan. Puis j'ai aimé des garçons qui, tout comme mes parents, ne faisaient pas attention à moi. Puis on m'a envoyée travailler dans la bibliothèque municipale où je n'étais pas nécessaire. J'y ai passé des années et des années sans me plaindre. Enfin, tout le monde semblait vouloir quitter le pays. Je me suis rendu compte alors que mon pays n'était plus très bon. Je suis donc partie. Ce qui me déroute beaucoup, c'est que ceux qui sont partis comme moi sont très mécontents de leur vie d'émigrants. Ils me font réaliser que je ne suis pas chez moi et que je souffrirai comme eux. «Pour les oiseaux, un trou d'or ne vaut pas un trou de paille», disent-ils. Et pourtant, ils restent éloignés de leur trou de paille. Peut-être un jour le destin voudra-t-il me ramener à Shanghai? Alors, je me suis dit: naître ou mourir dans un endroit au lieu d'un autre n'est pas important. Seul importe de suivre le cours des choses. La vie a peut-être un but, mais il n'y a pas d'itinéraire. Si on tient trop à suivre un itinéraire, on se cogne contre des murs et on meurt tôt.

J'accepte toujours de sortir avec lui. Quand il discourt, je profite du bonheur de le contempler et d'admirer le reflet du soleil sur ses cheveux. Je ne dis rien. Le danger est toujours là : les murs peuvent surgir tout le temps. Il faut que je sois prudente.

Est-ce que tu te sens mieux, Sassa? Tu ne peux pas croire combien c'est important pour moi que tu te portes bien. Je m'inquiète de ta santé comme de la mienne.

Da Li,
de Montréal

35

J'ai attendu, mon père, mes notes d'examens pour vous écrire. Je sais que cela compte pour vous. Malgré le fait qu'il étudie dans une langue étrangère une matière inconnue, le fils de mon père et le petit-fils de mon grand-père attenterait à l'honneur de la famille en ayant une mauvaise note. Heureusement j'ai eu un A et un A moins pour mes deux cours. Je suis le deuxième de la classe. Le premier est un étudiant d'origine vietnamienne.

— Je ne suis pas surpris que tu aies de bonnes notes, m'a dit Nicolas. Dans notre université, les étudiants asiatiques ont tendance à rafler toutes les premières places.

— Et tu n'es pas un peu... jaloux?

— Quelquefois oui, mais pas trop. Ce n'est pas parce qu'on a une meilleure note qu'on trouve un meilleur job. Et puis, il n'y a pas que les études dans la vie. Tiens, viens-tu avec nous au pique-nique ce dimanche? Je veux que tu profites un peu du printemps. Emmène aussi ton amie Da Li. Marguerite s'entend très bien avec elle.

Comment puis-je lui faire comprendre ma soif des études? Dois-je lui dire que j'ai passé toutes mes années élémentaires et secondaires à étudier les essais de Mao, ses poèmes, sa philosophie, sa biographie et, surtout, ses écrits de guerre et de révolution ? Que je ne trouvais dans les bibliothèques de l'époque que des histoires du parti et de l'armée rouge ? Que j'ai grandi sans télévision ni livres ? Que peu après la Révolution culturelle il m'a fallu apprendre, pendant à peu près un an, tout ce qu'un adolescent d'aujourd'hui mettrait huit ans à digérer ? Que, dans l'espoir de franchir le seuil d'une des rares universités, j'ai failli ruiner ma santé en me préparant au concours national ? Que, pendant cette période-là, les cheveux de mes parents ont blanchi ? Qu'aujourd'hui, à cause de tout cela, mes exigences face à la vie sont bien minces ? Que pour moi une chambre avec un ordinateur est déjà un paradis ?

Mais je ne dis rien de tout cela à Nicolas. Je ne veux pas projeter l'ombre de mon passé sur son visage rayonnant. Il y a en lui, comme en beaucoup d'autres personnes de cette race, un naturel qui me plaît et qui me manque à cause du fardeau du passé et celui du futur que je porte en moi. Lui mène une vie facile, sans calcul ni crainte, sans cesse renouvelée par les beautés instantanées mais éclatantes. J'ai parfois l'impression qu'il vit plus sainement que moi.

Je décide de sortir avec lui ce dimanche.

Votre fils,
de Montréal

36

Maintenant que les examens sont bien passés, tu pourrais, mon fils, rester un peu plus longtemps avec tes amis. Il est vrai que les études seules ne suffisent pas à nous rendre heureux.

Tu sais, le fils de notre voisin est revenu du Japon deux ans plus tôt que prévu en interrompant ses études. Nous lui avons demandé pourquoi.

— Oui, j'ai changé d'avis, a-t-il dit. Je n'ai jamais été un patriote, mais la vie m'apprend qu'il ne faut jamais abandonner son pays, qu'il soit bon ou mauvais. À Tokyo, dans cette ville qui est à trois heures de vol de Shanghai, tout me fait sentir que je suis un étranger. Au début, c'était à cause de mes vêtements. Puis à cause de mon accent. Puis de mes manières. Puis de mon nom. Pas possible de me faire des amis japonais ni de me trouver un emploi d'été convenable. Même si on embauche quelques Chinois, on leur accorde un salaire moindre. Je croyais auparavant, en tant que Chinois, pouvoir vivre moins péniblement au Japon que dans les pays occidentaux, puisqu'un Chinois n'est pas plus «jaune» qu'un Japonais, ni plus petit. Faux! Un camarade de classe m'a affirmé que les Japonais sont très différents des autres Asiatiques de l'est, de telle sorte qu'ils appartiennent à une tout autre race.

Le discours de ce garçon me rend très inquiet. S'il se sent tellement mal à l'aise dans un pays voisin où il ne se distingue des autres que par son accent ou son nom, que deviendras-tu, mon fils, dans un autre continent que le nôtre, parmi les gens d'une race complètement différente, depuis longtemps considérée, ouvertement ou secrètement, comme supérieure?

À peine trois ans à l'étranger et le fils de notre voisin est devenu amer. Il ne faut pas que les jeunes soient ainsi. Je ne sais plus si c'était une bonne idée de te laisser partir. Ici, tu n'étais pas vraiment plus malheureux que les autres. Il te sera peut-être moins supportable d'avoir à digérer seul, loin de chez toi, un malheur qui te frappe personnellement.

Écris-nous et dis-nous ta véritable impression.

Ton père,
de Shanghai

37

N'allez pas imaginer, mon cher père, que je sois aussi malheureux à Montréal que cet étudiant à Tokyo. Je ne dirai pas que les discriminations de toutes sortes n'existent pas ici, puisqu'on a dû établir des lois contre elles. Il y a dans la nature humaine quelque chose qu'on ne surmonte pas. Alors on crée des lois pour contrôler cela. Ce serait trop naïf d'espérer trouver, là où il y a des hommes, une terre exempte des virus que sont les préjugés. Comment songer que le malheur d'être l'objet de discrimination ne soit pas un peu partagé par tous dans le monde entier? Demandez-le aux Arabes en France, aux Indiens en Angleterre, aux réfugiés en Allemagne, aux Italiens du sud dans le nord de leur pays, aux Coréens au Japon, aux Africains en Amérique du Nord : ils vous le diront!

On a toujours besoin de quelqu'un à dédaigner. Ainsi, quand il n'y a pas assez d'étrangers, on en crée quelques-uns. Les Soupéïens sont donc les mal-aimés de Shanghai, et les Shanghaïens, de Beijing, et les Chinois du continent, de Hong-Kong. On est toujours un peu méprisé et méprisant à la fois. On souffre des malheurs dont on n'hésiterait pas à accabler les autres le moment venu, d'une manière parfois plus acharnée.

Mais a-t-on jamais créé une loi contre tout cela en Chine, comme on le fait en Amérique du Nord? Pas encore. On n'a pas le temps. On est à présent trop occupé à enrichir le pays. D'ailleurs, il y a bien d'autres lois plus importantes à établir. Il faut être patient, comme nous le sommes depuis des siècles.

Alors, pourquoi croire, mon père, qu'un Chinois soit plus solitaire ailleurs que dans son propre pays et que je sois moins heureux à Montréal qu'à Shanghai?

Votre fils,
de Montréal

38

Comment se déroule ton aventure, Da Li? Tu le vois souvent, ce «quelqu'un»? As-tu rencontré quelques «murs»? Je ne sais pas pourquoi ton affaire m'excite à ce point, comme s'il s'agissait de mon propre bonheur.

Est-ce qu'il t'aime, lui? A-t-il juré de passer sa vie avec toi? Quand vous sortez, te garde-t-il du côté intérieur du trottoir de peur que tu ne sois renversée par une bicyclette? Te tient-il la main très très fort en traversant les carrefours? A-t-il l'air sérieux et attentif quand tu lui racontes les mille petits événements de ta vie? Ses yeux se mouillent-ils en écoutant l'histoire de ton enfance qui, comme toutes les enfances, est parsemée de joies et d'angoisses? Est-ce que tes larmes qui fatiguaient les tiens par leur fréquence et leur abondance ont par contre beaucoup de pouvoir sur lui? Dans tes moments de tristesse, te serre-t-il dans ses bras, en poussant des soupirs lourds, comme s'il souffrait plus que toi-même? Bondit-il comme un enfant en apprenant tes succès? Est-ce qu'il s'empresse de te faire connaître à ses meilleurs amis et à ses parents? Exagère-t-il quelquefois, poussé par une faiblesse d'amoureux, tes qualités devant les autres? Peux-tu lui montrer tous tes caprices et tes défauts sans crainte de le faire reculer? Oses-tu porter une robe très laide ou une coiffure qui te va mal pour sortir avec lui? Si toutes tes réponses sont positives, il ne me reste qu'à te dire félicitations. Du moins, entre Yuan et moi, c'était comme ça. Et je ne crois pas qu'il existe des amours plus vraies et plus touchantes que le nôtre.

De plus, il faut être malade une fois pour comprendre la mesure de cet amour. Quand j'étais malade, je l'étais souvent d'ailleurs, Yuan venait chaque jour, qu'il pleuve ou fasse beau temps, m'apporter un petit quelque chose : une feuille tombée qu'il avait ramassée dans la ruelle, une fleur sauvage qu'il avait trouvée au pied d'un mur, un poème qu'il avait lu la veille, un goûter que j'aimais, une anecdote amusante d'un ami...

Je serais peut-être bien plus heureuse si j'étais morte à cette époque.

Sassa,
de Shanghai

39

Je suis allée dans la rue de Si-Nan chercher des nouilles minces. Nous aimions tous les deux cette rue dont le nom voulait dire «nostalgie du sud». Très peu de passants, beaucoup d'arbres. Les gens qui viennent au centre-ville uniquement pour faire des courses ne s'intéressent pas à cette rue où il n'y a que deux ou trois boutiques pourtant intéressantes. Ne trouvais-tu pas, mon amour, que la sauce de soja y était meilleure? Et les nouilles aussi?

Ce matin, quand je me suis retrouvée là-bas, j'étais comme plongée dans un rêve à la fois familier et lointain. La fraîcheur des feuilles sans nom m'envahissait. Du fond de la rue, dans le silence des lumières croissantes, s'élevait le chant des écoliers. Je me voyais derrière l'un de ces murs, debout dans les rangs d'une centaine d'enfants, porter ma main droite jusqu'au front pour rendre hommage au drapeau rouge qui montait au vent. Puis je me voyais errer avec toi dans la solitude de la nuit. Le printemps venu, il y avait trop d'amoureux dans les parcs le soir. Il fallait y arriver de bonne heure pour se trouver un banc ou un petit coin bien intime. Faute de place, nous passions notre soirée à marcher. Nous nous attardions souvent sur Si-Nan, parce qu'elle sentait bon et paraissait plus discrète grâce aux feuilles qui avaient l'air de noyer la lumière des lampes. À mesure que les heures avançaient, je frémissais de froid, mais j'insistais : «Non, non, c'est bien ici.» Rentrée à la maison, je toussais beaucoup. Alors ma sœur disait, sans me regarder et d'une voix mêlée de pitié et d'ironie : «Ah! on vit dans un film! Combien de kilomètres as-tu encore faits ce soir?»

Les années passent, et les écoliers chantent toujours. Seulement, je me trouve en dehors des murs. Je ne vois plus le drapeau rouge qui s'élève le matin et retombe le soir. Je ne te vois plus, toi. Tu n'es plus là. Peut-être à jamais. Quand le vent se lève, je cherche en vain ton murmure dans le frisson des feuilles. Cela ne m'empêche pas de revenir dans cette rue, en me donnant la peine de faire un grand détour, pour y trouver mes nouilles et ma sauce de soja. Elles sont toujours bonnes.

Là-dessus, je ne me trompe pas.

Sassa,
de Shanghai

40

Non, ma chère, je ne saurai pas répondre à ton questionnaire à propos surtout de *son* amour pour moi. Je ne me demande jamais s'il m'aime ou non. Je n'ai pas besoin de le savoir. Je ne vais pas mesurer la dimension de son amour pour décider de la mienne. Ce qui compte, c'est que je l'aimais hier et que je l'aime aujourd'hui encore. Ce serait prétentieux de ma part d'espérer passer ma vie avec lui. «Je ne me fais pas de projets pour plus de trois jours», a dit Marguerite. Elle ne peut s'imaginer encore vivante dans trois jours. Sinon, la vie lui paraîtrait moins charmante. C'est vrai. Un mourant ne voit pas le même soleil qu'une personne en forme. De même, un amour en sécurité ressemble à un fruit en conserve qui perd sa couleur et son goût.

Ce qui est plus vrai, c'est que je savais, dès le début, que je ne serais pas aussi chanceuse que toi. Je suis amoureuse de quelqu'un qui est heureusement fiancé à une autre. Ces fiançailles chinoises, tu le sais bien, signifient beaucoup plus qu'un mariage d'ici. Mon amour est donc tout à fait illégitime et condamné dès le début. Il est hors de question que je garde cet homme pour l'éternité. Je n'ai que des instants de bonheur à moi. Je n'ai pas de lendemain. Je n'ai pas le temps de lui demander quoi que ce soit.

Inutile d'espérer en lui un protecteur affectueux et un admirateur attentif. C'est trop pour moi et pour lui. J'ai seulement besoin d'être avec lui, de regarder avec lui le coucher du soleil, de manger avec lui dans un restaurant inconnu, de marcher avec lui dans les rues désertes, de dérider son front par mes rires, de briser son silence par mes questions, de lui parler français quand il déteste la Chine, de lui faire penser à sa famille à Shanghai quand il se sent orphelin parce qu'immigrant, de lui tendre un parapluie quand il neige, de complimenter sa bien-aimée quand il en parle... Et devenir malade pour obtenir ses soins, tu parles! Je pourrais tout faire pour lui, mais je ne serai pas malade. Je ne me le permets pas. Qui s'occuperait de lui si j'étais malade? Je ne pourrai être malade, ou... morte, que lorsqu'il sera réuni à sa fiancée.

Je souhaite parfois que ce jour arrive le plus tôt possible; alors je pourrai enfin trouver le soulagement ou, pour parler comme ma mère, «sortir du piège de l'amour».

Da Li,
de Montréal

41

Tu m'as fait beaucoup de mal, Sassa, en me parlant de Si-Nan. «La nostalgie du sud»! Comment peut-on trouver un tel nom pour une rue, si l'on n'a pas en réserve une quantité de poèmes de l'exil et du temps perdu?

Et si tu dépasses les boutiques, tu seras devant la Maison de Yuan-Yang. Comme l'indique son nom, ce restaurant attire les amoureux en leur offrant de très bons goûters chauds : les rouleaux de printemps y étaient merveilleux... la soupe au tofu... combien de bols avons-nous mangés pendant des années? Je ne sais plus. Innombrables! C'était fou, n'est-ce pas, chez Yuan-Yang? Pourtant, qu'est-ce qu'il y a dans la soupe? Presque rien! Un petit morceau de tofu, une poignée d'oignon vert haché, un peu d'épices piquantes, deux gouttes d'huile de sésame. Ce qui me rend toujours fier de notre culture, c'est bien cette simplicité dans la façon d'aborder les choses, cette capacité de faire des goûters délicieux à partir de presque rien, ce courage de survivre et même de bien vivre dans le désert du destin, cette quête jamais relâchée de la beauté de la vie, cette délicatesse toujours présente malgré la misère quotidienne.

Les gens d'ici cuisinent d'une façon tout à fait différente de nous. Un jour, Nicolas a eu l'idée de nous faire un bon repas pour quatre, un vrai bon repas. Il s'est levé de bonne heure et est allé au marché chercher un gros poulet entier. Ciel! Avait-il décidé de nous rendre malades! Avec un poulet entier et quelques légumes, ma mère aurait nourri vingt personnes. Avant de le mettre au four, Nicolas a passé une heure à couronner le poulet de toutes sortes d'épices. Sur sa table de travail était ouvert un livre de recettes.

— Tu cuisines donc en suivant un livre! lui ai-je dit.

C'était comme dire qu'un Chinois ne maîtrise pas ses baguettes. Il ne répondait pas, tout à son ouvrage. Je voyais qu'il ne m'avait pas compris. Alors je tâchais de le comprendre, lui. J'ai jeté un coup d'œil sur son livre : beaucoup de chiffres indiquant la quantité et le temps de cuisson, en plus de précisions incroyables concernant les contenants. Les étapes à suivre étaient si définies qu'il faudrait, me semblait-il, avoir une tête très bien ordonnée et un esprit très scientifique pour pouvoir préparer un plat. J'ai eu l'impression d'être non pas dans une cuisine mais dans un laboratoire de chimie.

Heureusement, le poulet que Nicolas nous a servi à table ne sentait pas le laboratoire. Il était même délicieux.

— Ma mère ferait beaucoup mieux que moi, a expliqué notre cuisinier.

Yuan,
de Montréal

42

Tu n'es plus une vraie Chinoise, mon amie, en livrant ainsi tes sentiments à un homme déjà fiancé. Je comprends que tu aies trop besoin d'aimer et d'être aimée. Tu oublies ce que notre Maître Confucius — que je préfère appeler Maître Con — nous a enseigné. Il a dit dans un de ses vieux livres qui a survécu à la poussière du temps : « Si on est pressé, on n'arrive pas à son but. » Tu es devenue comme les Occidentaux : ils perdent leurs bonheurs potentiels ou se créent des malheurs futurs à cause de leur impatience. J'ai vu un film américain : *Séduction fatale*. J'en suis sortie terrifiée. J'ai senti que les Américains se tendaient un énorme piège. Ils ne connaissent pas ou refusent de connaître les limites des choses. En exigeant que tout soit possible, ils veulent l'impossible. Ils sont partis à des chasses dont ils ne reviendront peut-être pas. La chasse au confort matériel, aux plaisirs, aux amours. Des séductions fatales comme des drogues.

Je suis néanmoins contente de toi. J'aime cette « américanité » qui te rend capable d'aimer quelqu'un que tu pourras perdre à tout moment. J'admire ton courage. Mieux vaut partir à la chasse que, selon notre proverbe, « s'asseoir sous un arbre et attendre son lapin ». Maître Con nous a enseigné la patience et la renonciation. Nous ne nous mettons pas en route si nous ignorons le chemin ou la destination. Nous commentons l'échec ou la réussite de ceux qui partent. Nous nous accordons la supériorité de ceux qui, assis à la fenêtre d'un salon de thé, contemplent le va-et-vient des passants. Nous sommes fiers de notre sagesse, qui souvent nous décourage et nous paralyse. Les Américains, eux, s'engagent sur la route malgré tout, même s'ils ne savent ni où ni pourquoi ils s'en vont ni ce qui les attend. Ils partent. Et c'est ainsi qu'ils se réalisent et tentent leur chance.

Un petit détail dans ta lettre m'a frappée : ton amoureux désire parfois être consolé quand il se sent «orphelin» là-bas. Je ne comprends pas pourquoi un émigrant a tellement besoin des bras d'une mère et du souffle d'un père. Je croyais que ce n'était pas si mauvais d'être orphelin, d'autant plus que l'Amérique du Nord est connue pour son nombre élevé d'orphelins de toutes sortes. Chaque fois que ma mère me dit de revenir à la maison à une heure fixe ou que mon père veut me faire lire des chefs-d'œuvre ennuyeux, je regrette beaucoup de ne pas être orpheline. J'aime les orphelins. En littérature, c'est toujours leur histoire qui me touche le plus. Ces gens-là possèdent une intelligence, une sensibilité et une noblesse du cœur inaccessibles aux gens ordinaires, car ils connaissent souvent mieux ce que sont l'injustice, les préjugés, la misère et la soif d'amour. Ils sont plus reconnaissants de ce que la vie leur accorde, à force d'en être privés. Et surtout, ils sont plus indépendants et plus libres. Je regrette même qu'il y ait si peu d'orphelins dans notre ville. Nous sommes trop protégés et surveillés par la famille, le milieu de travail et le gouvernement. Nous devenons paresseux et mécontents. Alors nous voulons quitter notre pays comme des enfants prisonniers dans leur famille, ingrats envers leurs parents et qui rêvent d'être adoptés par un père plus riche et une mère qui les gâtera davantage. Il nous manque l'esprit et le courage des orphelins.

Sassa,
de Shanghai

P.-S. : Tu n'as pas à désespérer trop de l'avenir de ton amour. En ce moment, dans notre ville, les fiançailles sont devenues de moins en moins des contrats verbaux de mariage. Même les mariages ne sont plus aussi solides qu'autrefois. Pour le meilleur ou pour le pire, l'époque des orphelins n'est pas très loin de nous.

43

Sans vouloir te décevoir, mon cher Yuan, je dois te dire que la maison Yuan-Yang est bel et bien aussi banale que les autres. Elle l'a toujours été d'ailleurs. Toi-même, tu as remarqué autrefois que les bols y étaient sales et les soupes peu nourrissantes. Nous y allions souvent, car elle se trouvait près de la rue Si-Nan et que nous nous y habituions. Rien que cela. Et maintenant, parce que tu n'y vas plus, tu parles de ses qualités, de sa simplicité et de sa délicatesse, comme on parle d'un amour manqué.

C'est douloureux, ça, un amour manqué. Je ne veux pas que tu souffres. Je préfère que tu vives dans le présent sans trop te préoccuper du passé ni du futur. C'était un peu pour le passé et le futur que tu es parti. Nous sommes séparés depuis six mois, pour notre passé et notre futur, nous avons perdu cent quatre-vingt-douze journées et demie de présent. Je ne dis pas cela pour te faire regretter ton départ. Au contraire, j'espère que tu apprécies ce qu'il t'a apporté de bien. Ne laisse pas la vie couler dans l'imagination.

Je pense que l'un de nos pires ennemis est notre imagination. Il faut donc la tuer pour éviter les désillusions et la mauvaise humeur, rester fidèle à son amour et devenir banalement heureux. Mais, chéri, ne fronce pas tes sourcils à la vue du mot « banal ». Je me demande pourquoi nous, qui vivons dans une époque bien meilleure que d'autres, sommes perpétuellement malheureux. Peut-être sommes-nous trop exigeants à l'endroit de la vie? Désirons-nous trop le merveilleux? Or, comment pouvons-nous apprécier le merveilleux sans être capable de vivre les banalités? Le merveilleux étant une perle, le banal est son sable. Aurions-nous toujours besoin de nous éloigner du sable pour connaître la beauté de la perle?

Je ne veux surtout pas que, un jour, si nous revenons à Shanghai, tu me dises : « Ah! j'aurais dû apprendre à cuisiner un poulet à la façon de Nicolas! Qu'elle était simple, la recette de Nicolas, et bonne et nourrissante », etc.

Un soir, je suis allée manger une soupe à la maison de Yuan-Yang. La patronne se souvenait encore de moi. Et elle a demandé de tes nouvelles. « Comme tu es chanceuse, a-t-elle dit. Il gagne sans doute beaucoup d'argent là-bas? » Elle projette de transformer la maison en un restaurant chic. Je n'y suis pas retournée depuis.

Sassa,
de Shanghai

44

Quand je te parle du passé, chère Sassa, ce n'est pas pour le regretter. Les rues de Shanghai sont devenues quelques lignes gravées sur mes mains par le temps. Je les oublie très souvent. Mais elles sont toujours là, avec toute leur laideur, leur complexité, leur finesse, leur intimité et leur émotion morte. Quand je veux savoir mon destin, je tends mes mains à un Chinois inconnu qui, après les avoir attentivement lues en les tenant sous la lumière, me dit chaque fois des choses surprenantes. Un jour, on a prédit que je serais amoureux plusieurs fois, un autre jour, que j'aurais une vie courte. Bizarre, n'est-ce pas? Et on m'a enseigné que plus on a de lignes dans les mains, moins on vit longtemps. Et tu sais combien sont nombreuses les rues de Shanghai.

Vraiment, je ne pense pas retourner dans ma ville natale pour revivre le passé. Tu as raison : la maison de Yuan-Yang ne sera plus jamais comme avant. Même si elle ne se transformait pas en un restaurant chic, elle est déjà défigurée dans ma tête. «On n'entre jamais deux fois dans la même rivière», nous a dit le professeur de philosophie. Le passé est une chose. Le passé ressuscité en est une autre. Donc, il est toujours là, notre passé, mort dans nos mains, insaisissable mais indélébile, utile seulement quand on y lit notre destin.

Mais comment pourrais-je oublier la rue Si-Nan et la maison de Yuan-Yang? Comment oublier notre passé qui est au fond un peu notre présent?

J'ai hâte de te revoir, Sassa. Quatre semaines se sont écoulées depuis ton rendez-vous au bureau des passeports. Ces gens devraient te donner signe de vie très bientôt, j'espère.

Yuan,
de Montréal

45

Déjà les premières bouffées d'été sont arrivées en ville. Après le souper, mes parents, ma sœur et nos voisins sont tous descendus dans la ruelle pour échapper à la chaleur impitoyable à la maison. Quand une rare brise passe, un murmure de joie s'élève et monte jusqu'à mes fenêtres. Les éventails s'agitent dans le silence de la lumière encore vive à six heures du soir. Sur les éventails sont imprimés les villages déserts et le paysage froid, ce qui me fait penser à toi et au pays où tu vis. Ma sœur, qui déteste l'été shanghaïen, m'a taquinée :

— Profite de la chaleur avant de partir !

En effet, ma chambre est devenue insupportable. Tout est chaud : les chaises, le lit, le plancher, l'eau du robinet et ma peau. Cette chaleur me suit et me frappe lourdement la tête. Je ne trouve aucun abri chez moi. Je décide alors de descendre.

Pour parvenir à la rue, il m'a fallu passer par-dessus les jambes, les pantoufles en plastique, les jouets, les cartons de glace, les regards indifférents, hautains, discrets ou curieux. Il y avait tant de monde. Des promeneurs au visage sans vie circulaient lentement. À un moment donné, ils m'ont paru figés au milieu de la rue, en cette nuit prête à bouillir, comme des figurines qu'on avait sorties d'une tombe à Xi-An.

Je marchais vite pour sentir un peu d'air et pour sortir de cette torpeur. Puis je me suis arrêtée au bout d'une longue file devant un vendeur de glace aux haricots rouges. Des gouttes de sueur me coulaient au visage. Mes paupières devenaient collantes. Des épaules nues chancelaient devant moi. J'attendais. J'attendais que quelqu'un vienne m'essuyer le front et les yeux, comme tu l'avais fait, chéri, la première fois que nous étions sortis ensemble, dans une nuit semblable à celle-ci. Je t'attendais, toi. Mais te rappellerais-tu le goût de la sueur ? Maintenant que tu as appris à balayer la neige à l'autre bout du monde, aurais-tu encore cette manière délicate d'essuyer la sueur au visage d'une fille avec un léger mouchoir brodé de fleurs ? Serais-tu capable de faire tout cela lentement, avec patience, en te retirant de la course infinie qui t'entraîne aujourd'hui comme une rafale vers les choses hors de ma portée, peut-être vers un avenir tissé par de mystérieux codes informatiques ?

Et voilà ma glace aux haricots rouges. Je m'en suis tout de suite envoyé un morceau sous la langue. Les lumières paraissaient alors plus fraîches. Après leur glace, les gens bougeaient maintenant plus vite. Pendant un moment, je croyais me trouver dans un palais de cristal. Puis, fondue dans mon estomac brûlant, la glace a disparu comme une illusion. Le goût lui-même se dispersait peu à peu, flottant dans ma mémoire et laissant dans la gorge une sensation indéfinissable causée par l'amertume de l'eau et la douceur du sucre.

La glace aux haricots rouges, il ne faudra jamais l'exporter. C'est dans cette ville qu'elle est vraiment appréciée pour toutes ses qualités trompeuses et pour les effets qu'elle produit : le premier baiser des amoureux, par exemple, comme le nôtre il y a quelques années. Depuis ce jour-là, chaque fois que je pense à toi, même en plein hiver, le goût étrange de la glace amère sucrée me revient aux lèvres...

Sassa,
de Shanghai

46

Ta tante Louise nous a téléphoné dimanche dernier. Elle nous a invités, ta mère et moi, à visiter Montréal cet été. Ta mère préfère partir tout de suite. Elle ne peut pas attendre plus longtemps de revoir son fils et sa cousine, son amie d'enfance. Elle garde une seule photo de cette dernière à l'âge de douze ans. Et elle n'en demande pas davantage.

Pour elle, Louise ne peut être que cette fille de douze ans, aux beaux grands yeux qu'elle a hérités de son père «étranger». La petite Louise aimait tous les étrangers à cause de lui. Elle ne voulait jamais le croire Chinois bien que celui-ci soit né à Shanghai et ait passé la moitié de sa vie en Chine. «Parce qu'il a un gros nez», avait-elle expliqué. Mais à mesure qu'elle a grandi, le sien a gonflé impitoyablement sur son visage. À un moment donné, la croyant étrangère, ses copains de l'école n'ont pas voulu jouer avec elle et ont commencé à lui dire des méchancetés. Souvent, rentrée à la maison, elle se précipitait dans les bras de son père pour y éclater en sanglots. Elle a pris l'habitude de s'absenter de l'école, et elle en était constamment punie. Ta mère, qui vivait alors dans la même maison qu'elle, la voyait souvent passer des après-midi entiers à recopier vingt fois le même texte à la demande de sa maîtresse d'école. Quand ta mère allait la chercher pour sauter à la corde, Louise ne bougeait pas de son pupitre, la regardant de ses yeux humides où s'accumulaient la honte, l'envie, la crainte et la tristesse. C'est donc un peu pour elle, selon ta mère, que sa famille a quitté le pays et est allée s'installer dans la ville d'origine de son père.

Nous devons pourtant remettre ce voyage à plus tard à cause de la lenteur des procédures au bureau des passeports. Ce ne sera pas trop mal puisque l'été est la seule saison où cette ville possède encore quelque charme à mes yeux. La chaleur puissante de ces jours-ci est plus efficace que l'amour pour détendre les gens. Tous sortent de leur minuscule chambre et, oubliant leur orgueil quotidien, s'installent face à face ou côte à côte dans la ruelle. Fatigués de parler du monde et las de calculer leurs sous, ils se content, avec une modestie extraordinaire, de n'ouvrir la bouche que pour y mettre une glace. Ils ferment les yeux devant les jeunes amoureux qui s'embrassent comme en hiver et se résignent à sentir les petits enfants leur pisser sur les pieds. Accablés par un même soleil impitoyable, les Shanghaïens éprouvent enfin un sentiment de complicité qui pourrait ressembler à la solidarité.

Ta mère a déjà sorti le petit lit en bambou afin que je puisse dormir dans la ruelle. Elle préfère rester dans sa chambre, parce que la nuit est trop humide pour ses jambes. Elle résiste d'ailleurs bien à la chaleur, en disant comme toujours : «La chaleur est dans notre tête. On se sent frais quand notre pensée s'apaise.» Bonheur à ceux qui savent demeurer maîtres de leur corps! Mais moi, quand la température monte, mon sang coule vite et mes idées poussent de travers. Alors j'ai passé plusieurs nuits dans la ruelle, après avoir joué chaque soir quelques parties d'échecs avec notre voisin. Combien j'adore ces nuits sous le ciel! Comme tu l'avais remarqué quand tu étais petit, plus il fait chaud, plus les étoiles descendent vers nous.

Hier soir, la Grande Ourse était très claire. Cela me faisait penser à toi. J'ai essayé en vain de t'apprendre à reconnaître cette constellation importante qui indique la direction aux voyageurs. Depuis, chaque fois que tu quittais la maison, pour un voyage d'affaires ou pour un séjour dans la campagne sauvage, je me disais que mon petit ne connaissait pas la Grande Ourse et je t'imaginais perdu dans le désert ou dans les montagnes. Et maintenant tu es en Amérique! Toi qui ne connais même pas la Grande Ourse, tu oses traverser le Pacifique! Il faut avouer que tu as beaucoup plus d'imagination que ton père. N'empêche que, pendant ces dernières nuits, j'avais l'âme un peu lourde. Je ne savais pas pourquoi. Peut-être à cause de la lumière trop vive des étoiles? Des pleurs des enfants? Du chant des grillons? Tu en as tant gardés à la maison autrefois.

Ton père,
de Shanghai

47

Depuis un certain temps, je fais des rêves qui se répètent sans cesse. Il s'agit de toi, du passeport, du passeport et de toi. Avec Shanghai comme arrière-plan. Toujours.

Tout à l'heure encore, par exemple, dans un sommeil agité, j'étais avec toi, Sassa. Nous nous trouvions à l'entrée de la maison où tu habitais. Il faisait sombre à l'intérieur. Je me suis heurté au coin d'une table. Habituée à l'endroit et à l'obscurité, tu te dirigeais vite vers l'escalier. Je tâtonnais avec mes doigts le mur que je trouvais humide. Je risquais de te perdre de vue mais je ne voulais pas te demander de t'arrêter, de peur de paraître faible à tes yeux. J'avançais tout seul, plus seul dans ce couloir que partout ailleurs. Au moment où j'allais poser le pied sur la première marche de l'escalier, une porte s'est ouverte derrière moi. Une ombre entourée de lumières blanches est apparue sur le seuil. J'ai vu que c'était une femme qui ressemblait un peu à ta mère. Elle a demandé ce que nous faisions tous les deux ici dans la noirceur du couloir. Elle parlait un shanghaïen impeccable. Je commençais à frissonner.

Tu sais, mon amour, j'ai toujours peur des gens qui parlent trop bien shanghaïen. J'ai la stupide impression que l'élégance du langage et la pureté de l'accent dénotent une extrême lucidité de l'esprit qui reflète souvent un être dur. Pourtant, ce que j'aime en toi, c'est justement l'épaisseur de la couleur shanghaïenne qui couvre toute ta personne. Quand tu parles, tu fais sonner les sons avec une confiance en toi et une fermeté que je n'aurai jamais à cause de ma mère qui, soucieuse de me faire apprendre une «vraie langue» et dédaignant les dialectes, a voulu me faire parler mandarin dès l'enfance. Et cette façon que tu as de formuler tes propos pour faire remarquer la subtilité de ta pensée! Au lieu de dire: «À quoi bon quitter le pays?» tu t'exclameras simplement: «Ah! quelle chance!» Ou encore, au lieu de dire: «Je ne vois pas ce que ce geste pourrait avoir de drôle», tu élèveras doucement la voix: «Comme tu as été courageux de faire tout ça!» Ces tournures charmantes sur tes douces lèvres rappelleraient pourtant, si elles étaient prononcées par une vieille dame, les moqueries sèches des policiers surprenant fièrement les voleurs.

Alors, je me suis enfui. Poursuivi par le regard soupçonneux et perspicace de la dame en bas de l'escalier, je suis monté à toute vitesse, en trébuchant à plusieurs reprises sur les marches.

Tu étais là, devant une porte du deuxième étage, jasant avec une voisine que je connaissais de vue. Je te sentais rapetissée en sa présence comme un écolier devant sa sévère maîtresse, car celle-ci passait sa vie à s'informer des malheurs ou des secrets des locataires de la maison et à les ébruiter. Elle faisait peur à ses voisins, à commencer par toi qui osais t'enfermer seule avec moi dans ta chambre à l'insu de tes parents. J'étais triste en te voyant t'arrêter chez cette voisine et lui sourire à contrecœur. Soudain, tu t'es tournée vers moi et as crié : «Elle serait capable de me rendre célèbre dans la ruelle, ce monstre!» Tu n'avais pas peur pour toi-même, je le savais bien. Mais tu souffrirais si tes parents perdaient la face à cause de ta conduite. Ma pauvre! Que j'avais envie de t'emmener ailleurs, loin de cette voisine, loin de cette maison sombre et pleine de pièges, loin de cette ville où les voisins faisaient peur!

Arrivée dans ta chambre au troisième étage, tu t'es jetée contre moi :

— Je croyais que tu ne reviendrais plus. Alors, ton «nouveau pays» n'est pas meilleur qu'ici?

Je ne savais pas comment t'expliquer, Sassa. Je ne pouvais pas comparer ces deux pays, comme on ne peut pas comparer son amoureuse et sa mère.

— Comment réussiras-tu à vivre à l'aise là-bas sans bien connaître le conditionnel et le subjonctif? as-tu continué.

Je ne répondais pas. Je les trouvais moins difficiles à apprendre que les savoir-faire de nos ancêtres. Et puis, je pensais à ma grand-mère qui a vécu longtemps à Shanghai sans savoir lire ni parler shanghaïen.

Alors, tu t'es mise à t'essuyer les yeux. Je savais quoi faire dans ces moments-là. J'ai lentement passé mes deux mains dans tes cheveux et t'ai chuchoté :

— Écoute, chérie, si tu pars avec moi, tu comprendras tout.

C'était peut-être pour cela que j'étais venu te voir dans cette maison sombre.

Tu mettais tes lèvres sur mon cou. Tes larmes coulaient toujours. Elles descendaient le long de ma poitrine, s'arrêtaient sur mon ventre en formant une grosse goutte froide. Cette goutte froide est soudain devenue une inquiétude aiguë qui me piquait l'estomac. Puis elle a envahi mon corps entier.

Nous ne sommes que de pauvres petites herbes qui naissent, survivent et meurent où le vent nous mène. Le monde, le pays, le peuple, ce sont des choses trop grandes pour nous qui ne comprenons même pas bien notre propre destin.

Je me suis vaguement souvenu que mon passeport allait expirer ce jour-là. Il me fallait vérifier. J'ai dirigé la main dans une poche. Tu as appuyé ta main sur la mienne, comme un ordre muet.

— Mais c'est urgent, me suis-je écrié. Il me faut renouveler ce passeport, sinon tout sera perdu!

— Tu es en rêve, mon pauvre. Qu'est-ce qui est perdu? Tu vois, je suis avec toi, nous sommes chez nous...

Je t'ai écartée brusquement. Malgré ton regard étonné et suppliant, j'ai sorti mon passeport. Il était expiré depuis plus d'un mois.

D'un seul coup, les lumières ont disparu complètement de cette chambre. Une angoisse immense a rempli l'espace comme un brouillard épais qui nous a séparés l'un de l'autre.

Je me suis réveillé en sursaut, trempé de sueur. J'ai longuement contemplé mon appartement bien ensoleillé. Soulagé d'un chagrin démesuré, j'ai poussé un long soupir. Comme si à peine échappé d'une condamnation impitoyable, d'un accident grave ou d'une maladie mortelle et, oubliant pour un instant le vide que ton absence a créé autour de moi, j'étais presque heureux.

Yuan,
de Montréal

48

Marguerite est retournée à Paris voir ses parents. Nicolas est allé avec elle. Je me sens soudain très seule. Quand ils étaient ici, nous nous rencontrions chaque semaine. C'était devenu une habitude. Et je ne me rendais pas compte que j'étais si attachée à eux. Ils m'ont envoyé une carte. Moi, j'ai envie de leur écrire une longue lettre pour parler de n'importe quoi. À vrai dire, j'ai plus besoin d'eux qu'ils n'ont besoin de moi.

Accablée par le silence de ma chambre, je n'ai pas pu terminer mon repas. Ça m'arrive maintenant souvent, Sassa. Le soleil couchant se réfléchissait au coin de ma fenêtre. Je l'ai appelé, prenant prétexte de la beauté du ciel. Sa voix hésitait au bout du fil.

— Que pourrions-nous bien risquer avec une promenade? ai-je dit d'un ton de reproche.

Je détestais ce morceau de soleil sur ma fenêtre qui me rendait faible. Mais ce n'était plus important. Il serait bientôt là, sur le trottoir et frappant à ma fenêtre.

Nous sommes allés sur Saint-Denis. Des rubans multicolores flottaient dans l'air. Ces chansons d'amour qui dominaient tout le temps la ville depuis mon arrivée roulaient au-dessus de nous avec la persistance d'un amour impossible. Il s'agissait toujours, dans ces chansons pleines de conditionnels passés, d'un départ involontaire, d'une infidélité qu'on voulait vainement réparer, d'un appel sans réponse, d'une vie morte mais jamais oubliée, d'un exil sans abri, d'un voyage sans but... Mais ceux qui chantaient cette tristesse n'étaient pas ici ce soir. Ils se cachaient derrière les rideaux de leurs voix. Tout ce que nous pouvions voir, c'était des gens qui, sautant et parlant sens dessus dessous, faisaient rire et applaudir le public.

C'était le Festival du rire. Mais ni lui ni moi ne riions beaucoup.

J'admirais les spectateurs plus que les comédiens qui ne riaient pas. Ce n'était pas juste, n'est-ce pas, si ceux qui jouaient n'entraient pas eux-mêmes dans le jeu. Ils gardaient leur sang-froid et se contentaient de ramasser les sous. Quand ils parlaient à une vitesse exagérée, je ne comprenais rien et je les trouvais absurdes. Voilà peut-être l'effet qu'ils désiraient. Les spectateurs, eux, je les comprenais. Ils oubliaient les chansons tristes pour un moment, se jetaient dans les pièges drôles de l'humour et riaient aux éclats. Leurs cheveux de toutes les couleurs dansaient innocemment sous un ciel assombri. Les amoureux s'étreignaient dans le parfum des sueurs. Les parents tenaient leurs enfants par la main ou sur leurs épaules. Je ne voyais en eux ni la fatigue de la journée ni l'angoisse de la nuit. Ils riaient, la bouche grande ouverte, le front trempé dans le rouge du crépuscule et le nez fièrement levé au ciel. Je les admirais mieux ainsi, bien que ma mère les aurait jugés peu sages ou mal élevés.

Il me disait quelque chose, tandis que les autres riaient autour de moi. Ses paroles se mêlaient à celles des comédiens dont je comprenais à peine le sens et qui me paraissaient irréelles. Ce soir, je l'ai trouvé plus comédien que spectateur, à cause de son envie de me parler. D'habitude, je n'aime pas qu'il me parle. «Il faut que je te dise une chose sérieuse», commence-t-il toujours. Et cette «chose sérieuse», c'est sa fiancée à Shanghai. Ses paroles m'attristent souvent. Ce soir, en plus, elles m'ennuyaient. Parler de sa «chose sérieuse» au Festival du rire! Je regardais les gens à côté de moi, je les enviais. Ils étaient heureux à cet instant. Ni leurs mésaventures du passé ni leur souci de l'avenir n'avaient rien à voir avec leur bonheur d'aujourd'hui. Ils se laissaient prendre par le jeu des comédiens. Ils n'avaient pas de sagesse. Libres et heureux comme leurs cheveux qui dansaient dans le vent. Demain, si l'un d'entre eux devait mourir, il se dirait fièrement: «Hier, j'ai bien ri.»

Je voulais m'enfuir dans leurs rires ce soir et mourir demain. J'aurais même préféré qu'il ne soit pas là à gâcher ma joie. J'ai levé des yeux furieux vers lui. Son visage était envahi par les ombres de la nuit. Son regard, plein de reproches et de supplications, a soutenu le mien. Je me suis alors souvenue de ma voix au téléphone. J'ai eu pitié de son regard et de ma voix. Je ne lui en voulais plus. Nous sommes restés tard dans la rue, à regarder les comédiens et les spectateurs et à écouter des chansons d'amour lointaines. Sa phrase revenait comme un refrain lourd

qui frappait sans cesse sur la douceur d'une mélodie :
Il faut que je te dise une chose, une chose sérieuse,
sérieuse, sérieuse...

Da Li,
de Montréal

49

Je regrette beaucoup, mon amie, qu'une certaine «chose sérieuse» ait pu déranger ton bonheur un soir d'été sur Saint-Denis.

Quand nous étions au collège, nous tenions à de nombreuses «choses sérieuses». Nous en devenions captifs avec joie. Toi et moi, nous étions proches parce que nous ne voulions pas sauter un devoir ou tutoyer nos professeurs, alors que nos copains leur inventaient toutes sortes de surnoms drôles qui faisaient rire la classe et qui peut-être feraient rire les gens sur Saint-Denis. Yuan voulait que je jure de passer ma vie avec lui, croyant que l'amour devait être solide comme une prison. En plus, nous avions déclaré tous les trois, en nous tapant la poitrine, vouloir réchauffer la mère patrie de «toute la chaleur de notre corps».

Mais maintenant que j'ai passé deux cents jours sans lui en nourrissant notre amour de souvenirs qui n'arrivent pourtant pas à remplir mes journées, je reconnais nos erreurs. Celle de vouloir croire au sérieux des choses. Celle dont nos professeurs d'autrefois étaient un peu responsables et que les élèves d'aujourd'hui ne commettent plus. Il ne faut jamais jurer de rien. Vouloir qu'une «chose» soit «sérieuse», c'est la dénaturer en pratique ou en imagination. Ma sœur, plus jeune que moi de sept ans, m'a dit un jour où je pleurais la mort d'une fleur annuelle que j'avais transplantée à l'intérieur :

— Une fleur qui ne meurt pas n'est pas une vraie fleur. Inutile d'espérer qu'elle vive aussi longtemps que toi. Et pour elle, la longévité n'est peut-être pas si souhaitable.

Tu sais maintenant pourquoi j'ai toujours adoré la clairvoyance de ma jeune sœur jusqu'à me détester moi-même. J'étais honteuse de mon ambition. Comme si je pouvais intervenir sur la vie et la mort d'une fleur ! Comme si le sort du monde était à ma portée : les amitiés qui se trahissent d'un endroit à l'autre, les amours qui meurent et naissent d'une seconde à l'autre, les pays qui existent des siècles et des siècles pour ensuite exploser dans une de ces belles matinées ensoleillées... Comme si je pouvais jurer de tout cela !

Oh, il faut que tu lui fasses part, à ton *lui*, de l'excellent enseignement de ma sœur. Les «choses sérieuses» sont condamnées à disparaître à notre époque impatiente, comme les fleurs qui succombent au changement de climat. Oublions-les donc pour nous sauvegarder nous-mêmes et... rions.

Sassa,
de Shanghai

50

Le lendemain de ce jour où tu as rêvé, mon pauvre ami, dans ton lit confortablement ensoleillé à Montréal, que ton passeport n'était plus valide, on m'a fait savoir, au bureau des passeports, que mon dossier était perdu.

— C'est normal, tu sais, nous recevons chaque jour tant de demandes, m'a expliqué l'employé d'un ton calme, semblable à celui d'un vendeur de l'État pour qui le manque de marchandises à vendre signifie moins de travail à faire.

Il s'est retourné vers les autres qui attendaient. Comme d'habitude, la file s'étendait jusqu'à l'extérieur du bâtiment. C'était normal, donc pas d'excuses ni de conseils. Tous ces gens voulaient rejoindre le vaste monde en passant par un pont étroit. Des milliers de Chinois marchaient sur ce pont. D'autres plus nombreux attendaient d'y embarquer. Une longue marche semblable à celle des Amérindiens préhistoriques traversant le détroit de Béring. Quelques-uns tomberaient dans l'eau, c'était normal. Ce serait surtout bien, j'imagine, pour les pays riches où déjà le nombre des faux citoyens augmente d'une façon effrayante aux yeux des vrais citoyens.

Je suis sortie presque inconsciemment. Il faisait chaud peut-être, puisque ma chemise était toute mouillée. Sans comprendre très bien ce qui m'était arrivé, je marchais sans arrêt dans la rue. Le silence de l'après-midi m'entourait. Les magasins étaient désertés. Au-dessus, des fenêtres grandes ouvertes se voilaient de rideaux en bambou. J'entendais même les ronflements des hommes endormis. Émue par cette paresse agréable qu'on ne trouve que pendant les journées chaudes, j'ai pensé aux visages anxieux devant les guichets du bureau des passeports. Mais, arrivée dans la rue Si-Nan, mon cœur s'est serré de façon si brusque et si forte que j'ai cru chanceler. Les cri-cri chantaient dans les arbres. Des écoliers passaient près de moi avec leur sac de nylon dans lesquels ils mettent leur maillot de bain. Ils sautaient dans l'ombre du feuillage pour éviter le soleil. Leurs cris vibraient dans l'air suffocant.

La terre tournait comme d'habitude le jour où j'ai réalisé enfin que j'avais perdu quelque chose d'important. Au fond, il ne s'agit pas du passeport ni de la neige de Montréal. Cela s'est passé bien avant. Une perte dont on s'aperçoit seulement lorsque survient une seconde perte plus évidente. Je t'ai perdu, toi. Oui, je t'ai perdu par un certain après-midi de dimanche à l'aéroport de Shanghai. J'aurais dû le comprendre dès le moment où tu es monté dans l'avion. Ce jour-là, en gravissant lentement la passerelle de l'avion, tu sortais de la rue Si-Nan, t'éloignais des chants des écoliers et disparaissais de ma vue. Je t'ai perdu dans le bleu du ciel. Et l'employé du bureau des passeports venait de me le confirmer.

Je marchais toujours, la gorge serrée sans doute à cause des bouffées de chaleur, comme pour te retrouver. Mais je savais que, en suivant la rue Si-Nan, je n'arriverais jamais à la rue Saint-Denis. Je continuais néanmoins, espérant marcher jusqu'à l'extrémité du temps et de l'espace, là où les frontières s'effaceraient, où le monde deviendrait un seul grand village comme on le prétendait, où les amoureux ne se sépareraient plus à cause des passeports. Je rêvais d'une promenade éternelle.

Sassa,
de Shanghai

51

Je sais combien ce sera difficile pour toi de vivre cet incident ridicule. Mais Sassa, tu comprends, tu n'as pas à aller «jusqu'à l'extrémité du temps et de l'espace» pour me retrouver. Je suis là, pas très loin de toi, à vingt-quatre heures d'avion seulement. Les frontières ne peuvent pas nous séparer. Elles nous demandent un passeport, c'est tout. Nous sommes comme toutes les autres choses circulant sur cette terre pour lesquelles on exige une étiquette. Grâce aux milliers d'années d'évolution, nous sommes devenus aujourd'hui des espèces civilisées, raffinées et surtout extrêmement différentes les unes des autres. Nous possédons donc des étiquettes de plus en plus précises, diversifiées et nombreuses, pour attester des frontières tracées dans notre tête.

Heureusement, nous sommes en mesure de trouver l'étiquette demandée. Ton dossier était complet, n'est-ce pas, selon l'employé du bureau des passeports. S'il est impossible de le retrouver, nous en demandons un nouveau. Tante Louise, paniquée par ce petit drame et profitant de l'occasion pour justifier sa décision de ne jamais remettre les pieds sur la terre «irresponsable» qu'est son pays natal, s'est rendue tout de suite chez son notaire pour te fournir à nouveau les documents nécessaires.

La rue Si-Nan n'est pas non plus aussi loin de Saint-Denis que tu le crois. En fait, les rues de ces deux villes se ressemblent un peu. Plusieurs endroits à Montréal me font penser à Shanghai : en plus des vieilles maisons à deux ou trois étages, il y a des vitrines élégantes, des restaurants chinois dans tous les coins de la ville, un pavillon que les Shanghaïens ont construit au jardin botanique. Et tu trouveras dans les rues d'ici plus de couleurs, plus de vert surtout, plus de musique douce ou folle, plus de gâteaux occidentaux que tu adores...

De toute façon, tu verras que tu seras presque chez toi dans une ville pourtant si exotique pour nous. Elle est pleine de curiosités. Tu feras de véritables découvertes à chaque instant. Je te jure que tu seras heureuse ici, si tu tâches d'être moins sensible, car, sauf les vendeurs, les Montréalais sourient un peu moins que les Shanghaïens. Mais ils ne sont pas plus méchants. Ne pense jamais qu'ils affichent un visage froid à cause de toi. Ils sont comme ça à cause peut-être de leur patron, de leurs employés, de leurs problèmes familiaux, de leur horreur de l'inconnu, de leur manque de confiance en eux ou, simplement, de l'hiver, une saison que tu supporteras très bien, je t'assure, puisque tu as survécu de longues années à Shanghai dans ta chambre non chauffée. Quand tu les connaîtras mieux, tu trouveras probablement que les gens de ce pays sont parfois plus intéressants que tes voisins là-bas, parce que, entre autres, ils ne passent pas leur temps à surveiller les sorties des autres.

Tante Louise te souhaite bon courage.

Je t'embrasse bien fort.

Yuan,
de Montréal

52

Il vient de sortir de ma chambre. En hâte. Dans l'obscurité. Peux-tu imaginer cela, Sassa? Une ombre qui bouge dans la noirceur, c'est tout ce que je saisis de lui quand je redeviens seule. Cette impression me hante constamment depuis que je suis arrivée ici. Une ville où les ombres circulent en hâte. Une ville quelquefois amusante, mais souvent impatiente, froide, méfiante et nostalgique. Et confondu dans ce triste va-et-vient, il y a lui.

Il est deux heures du matin. Je ne retrouve pas le sommeil. Je ne me souviens plus comment il est entré ni pourquoi il est parti. Mais si, je sais quand même un peu pourquoi il s'en est allé : il ne m'aime pas. Il ne m'a jamais aimée. Cela remonte à très loin... très loin dans notre destin. Il y a des gens qui sont nés pour s'unir, et les autres pour s'ignorer ou pour se faire souffrir.

Hier, c'était la fête de la lune. Le soir, nous avons bu chez moi. Nous avons tous les deux remarqué que la vie ne peut pas être aussi ronde que la lune. Des générations de poètes chinois se consolent en supposant que les êtres chers, même séparés, partagent heureusement en ce jour de fête la même lune parfaite. Mais cette supposition n'a plus de sens pour nous, car nous ne sommes plus de vrais Chinois.

Nous ne croyons pas que sa fiancée et mes parents regardent la même lune que nous. La lune est partout différente. Et même si nous sommes ensemble, nous avons chacun notre lune. Lui y voyait le visage triste de sa fiancée; j'y lisais un amour impossible. Et surtout, surtout, nous avons vu trop de films de Stephen King. Ces films d'horreur ont toujours, comme arrière-plan, une lune pleine qui frémit dans les nuages noirs. Pour certaines personnes, la pleine lune n'est pas l'occasion de célébrer mais de fuir car elle est signe de malheur.

Nous avons passé la soirée à boire. Dans ce quartier, nous ne connaissons pas d'autres individus de notre race. Peut-être n'y en a-t-il pas. Ici, les gens vivent assez séparés. À part les quartiers traditionnellement québécois, il y a par exemple ceux des Juifs, des Anglais, des Italiens et, bien sûr, des Chinois. Nous étions seuls dans ce quartier très tranquille hier soir, à réciter les poèmes sentimentaux des anciens poètes de chez nous et à évoquer les scènes effrayantes des films américains. Et nous sommes devenus vides alors que la lune s'arrondissait: en contemplant la lune, nous n'avions au cœur ni douceur ni peur. Oui, pendant cette fête, nous n'étions ni Chinois ni Nord-Américains. Te souviens-tu d'un exercice au laboratoire de chimie de l'école? En combinant un élément acide et un autre alcalin, on obtient un troisième élément de nature «neutre». On écrit un zéro pour marquer la neutralité.

Hier soir, plus qu'à d'autres moments, nous étions des zéros. Pour nous remplir, nous buvions sans arrêt. Je me suis fâchée sans connaître la cause. Alors je me suis approchée de lui :

— Qu'attends-tu encore? Demain, déjà, la lune sera moins ronde.

Mais aussitôt j'ai regretté mes paroles. Les yeux remplis de larmes, j'étais emportée par la rage que j'éprouvais contre ma faiblesse. Il a mis le revers de sa main sur mes joues en hésitant, ce qui m'a fait éclater en sanglots. Son regard s'est fixé un moment sur mon visage, puis a erré ailleurs. Il a poussé un soupir et a murmuré :

— Si tu veux, si tu veux...

Oui, je voulais. Je voulais son regard, ses épaules, ses mains, son sourire... Je le voulais entier. Je savais qu'il me voulait aussi à ce moment-là, mais d'une autre façon. L'alcool lui montait à la tête. Il m'a pris les mains et m'a conduite vers le lit.

Son mouvement était si lent que j'ouvrais les yeux. Il a baissé les paupières comme pour cacher sa honte. Il ressemblait à ces nombreux maris dans les films d'ici qui commettent leur première infidélité.

— M'aimes-tu? lui ai-je demandé.

Il a posé un doigt sur mes lèvres et a dit :

— Que tu es traditionnelle!

Était-ce un reproche, une ironie, un consentement ou un éloge? J'étais «traditionnelle» parce que j'étais incapable de faire l'amour avec celui qui ne pouvait pas m'épouser ni m'aimer d'une façon absolue. Cet «esprit asiatique» dont je me moquais tant a surgi du fond de moi au moment où, après une longue attente, la rencontre rêvée se produisait réellement. Je voyais combien il était étonné de ma réaction. Je lui en voulais toujours d'être trop «chinois» dans ce domaine. Mais tout à l'heure, en le repoussant brusquement, j'ai découvert que je ne l'étais pas moins que lui. J'ai tout d'un coup perdu le courage que j'avais cultivé si longtemps. J'aimerais tant faire comme les autres. Je me préférerais très occidentale, forte, insensible, pratique, voyant dans l'activité sexuelle non pas un rituel mais une tendresse facile qui implique le divertissement, le cadeau, le «voyage», la consommation, l'exercice physique et le rapide oubli. Mais je n'y arrive pas, du moins pas encore. Et je croyais bêtement que les autres ne pouvaient pas sincèrement être ce que je n'étais pas. C'est pourquoi je lui demandais constamment: «M'aimes-tu?» Ne pouvant supporter ma question, il est parti précipitamment, malgré l'obscurité et le froid. Ceux-ci sont maintenant avec moi, au fond de mes couvertures, effaçant la moindre trace de la chaleur de son corps.

Je n'aurais pas dû te raconter tout cela. Car, au fond, en aimant un homme fiancé, je n'avais pas plus de morale que lui. Je n'oublie pas combien tu détestais les gens qui perdent le contrôle de leurs sentiments et qui cherchent leur bonheur aux dépens des autres. Tu méprisais leur faiblesse morale qui, selon toi, est aussi une faiblesse d'esprit et de corps. Alors méprise-moi. Je le mérite bien. Mais laisse-moi t'écrire. Personne d'autre que toi n'aura le temps d'écouter mes troubles intimes.

Da Li,
de Montréal

53

Tu as une bonne mémoire, Da Li. Un jour, il y a quelques années, tu as rencontré Yuan sur la pelouse devant notre dortoir. Je vous ai aperçus par la fenêtre. J'ai remarqué que tu avais un peu trop à lui dire. Et tu avais des rires que je n'aimais pas. J'ai jugé ton comportement léger. Alors, quelques jours plus tard, quand l'occasion s'y est prêtée, j'ai voulu te faire savoir mon opinion. Je t'ai dit en te fixant dans les yeux :

— Je déteste ceux qui volent l'amour aux autres.

Tu m'as très bien comprise, puisque ton regard me fuyait. Et depuis tu ne riais plus en présence de Yuan.

Nous avions dix-huit ans. Nous croyions en l'amour unique et surnaturel. Nous voulions que l'amour, n'importe lequel, soit en sécurité et qu'il nous protège contre les saisons trop dures ou trop douces. Nous avons vieilli maintenant. Nous ne pouvons pas rester aussi naïves qu'autrefois, puisque nous vivons dans une époque plus moderne. Aujourd'hui, les gens désirent la liberté. On se trahit de plus en plus même dans notre ville, car on a horreur de se sentir emprisonné. Il est devenu plutôt louable de coucher avec quelqu'un qui n'est pas libre, puisqu'on ne trouve pas de meilleure façon de se libérer et de libérer les autres. Pourquoi, alors, ton amoureux aurait-il éprouvé un sentiment honteux en trahissant sa fiancée et toi serais-tu méprisée pour tes émotions? Non, non, mon amie, je n'ai plus la force de te mépriser. Au contraire, j'admire ton courage à te lancer ainsi à la chasse de l'amour qui, de nos jours, n'est plus une entente du ciel mais semble devenu le jouet du hasard. Un hasard qui peut naître de temps à autre (et c'est ainsi que tu peux tenter ta chance), mais qui risque de disparaître à tout moment dans la poussière de la rue ou dans la chaleur des couvertures.

Sois sûre, Da Li, de ma profonde amitié pour toi. Quoi qu'il arrive, je veux que tu sois heureuse. Tu mérites d'être aimée. Donne-lui un peu de temps. Avec patience, on arrive à tout.

Sassa,
de Shanghai

54

Merci pour ta généreuse lettre, Sassa. Chaque fois que je pense à toi, j'ai envie de pleurer. Comment vont les choses pour toi? Su Yuan m'a dit que tu as eu des problèmes avec le bureau des passeports. Mais tout sera réglé, tu n'as pas à trop t'inquiéter. Un de mes oncles occupe un poste au bureau des passeports. Quand je me préparais à partir, il m'a «nettoyé un peu le chemin». Je lui ai écrit pour qu'il prenne soin de ton dossier.

Tu m'as beaucoup étonnée avec ta remarquable compréhension des idées nouvelles. Or, ce qui se passe en Amérique du Nord serait peut-être hors de ton imagination. Depuis l'époque de notre Révolution culturelle, les gens de notre génération ne fréquentent plus les églises. Chez nous, on a dû détruire les temples à coups de bâtons. Ici, c'était beaucoup plus simple. Comme si de rien n'était, on a quitté les églises pour se plonger dans les magasins. On appelle ça la Révolution tranquille. Et tranquillement aussi, les familles s'écroulent. Sur leurs ruines, des milliers et des milliers d'enfants sans parents, de parents sans enfants, de maris sans femme, de femmes sans mari, d'individus seuls avec chien ou chat. Ce phénomène, encore curieux en Chine, est devenu ici un mode de vie. On voulait la liberté. On l'a presque obtenue, au moins en ce qui concerne les relations sexuelles. Cette liberté me semble visible sur le front des habitants. Elle est là, dans les rues, sur les terrasses, au fond des bars, derrière les rideaux des fenêtres, partout. Hommes, femmes et enfants, ils avancent et se croisent tout le temps, rapides comme le vent et solitaires comme les étrangers, la liberté luisante collée au front, laquelle rend leur visage pâle comme la neige.

Il m'arrive parfois d'avoir peur de devenir comme eux. Je n'ose plus l'aimer, cet homme qui n'est pas libre. Pour moi et pour les autres, j'ai peur de le libérer, puisque moi-même je n'ose pas m'élancer dans cette liberté dont la porte m'est enfin ouverte. J'en ai pourtant tellement rêvé.

Je ne sais plus ce que je veux.

Da Li,
de Montréal

55

J'attends ta réponse, Sassa. Tante Louise t'a envoyé les nouveaux papiers : les as-tu reçus et remis tout de suite au bureau des passeports ? Je vais chaque semaine voir tante Louise. Nous parlons beaucoup de toi. « Il est plus dur, dit-elle toujours, de vivre loin de son amour que de vivre loin de son pays. » Son père a vécu de longues années en Chine comme étranger ; sa mère a préféré se faire enterrer à Montréal où, malgré les nombreuses années qu'elle y a vécues, elle n'arrivait toujours pas à surmonter sa maladresse quand il lui fallait embrasser les gens sur les deux joues, ou conjuguer un verbe au passé. Mais ils étaient heureux, ses parents, parce qu'au moins ils étaient ensemble et que « les amoureux se croient partout chez eux ».

En ce moment, la ville est couverte de feuilles pourpres. Emportées par le vent, elles tombent partout, en déployant dans l'air un optimisme tragique. Je n'ai jamais vu de feuilles aussi jolies et aussi touchantes. Elles me font penser, je ne sais pas pourquoi, à la rougeur de tes joues. Je t'envoie cette feuille qui est arrivée sur ma fenêtre ce matin.

Je dois m'arrêter ici. J'ai quatre devoirs à faire pour quatre cours.

Yuan,
de Montréal

56

Merci pour la belle feuille que tu m'envoies. Te souviens-tu encore de cette chanson qui chantait il y a quelques années l'héroïsme des soldats envoyés aux champs de bataille contre le Vietnam? La chanson s'appelait *La Splendeur du sang* et commençait par ces phrases :

> *Si je tombe sans pouvoir me relever,*
> *Si je ferme les yeux sans pouvoir les rouvrir,*
> *Si c'est ainsi, n'insiste pas pour m'attendre,*
> *Si c'est ainsi, ne sois pas triste,*
> *Regarde le drapeau de la République*
> *Où est imprégnée la splendeur de notre sang...*

Bien que je n'aime pas les champs de bataille, que je comprenne mal ce que veut dire la République et que je déteste les drapeaux, j'ai aimé cette chanson. En regardant cette feuille couleur de sang venue du Canada, cette chanson me revient au cœur. Je m'imagine mourante, te priant de m'oublier et de porter ton attention à la beauté des feuilles autour de toi. Et je te chante et rechante cette chanson, dans le silence où montent mes larmes froides.

Les feuilles de la rue de Si-Nan ont commencé elles aussi à se décrocher. Elles sont toutes très jaunes. L'automne se termine tôt cette année. Je l'entends partout dans la rue, dans l'écrasement des feuilles sous le poids des passants. Je les entends me pousser des appels désespérés: «Sassa! Sassa!» Je marche sur ces feuilles malgré moi. Comme sur du sable. Comme sur moi-même.

Çà et là, on entasse les feuilles tombées pour les brûler ainsi qu'on le fait avec les morts. On brûle des corps humains dans un endroit discret, mais les feuilles mortes ou mourantes, on les brûle en pleine rue. On dirait une exécution publique. Que fait-on des feuilles mortes à Montréal? À part celle que tu m'as envoyée au-delà de l'océan, que sont devenues les autres? Les brûle-t-on? Ou sont-elles jetées aux poubelles pour qu'elles pourrissent dans la puanteur des déchets? Si c'est vrai, je déplore vivement le sort de feuilles aussi belles. Les feuilles de notre pays sont peut-être mieux traitées. Elles disparaissent dans le feu, saines et propres, comme les héros d'autrefois. Mais je ne peux pas assister à leur fin: la fumée m'étouffe et m'aveugle.

Il faut que je sois prudente. J'ai l'impression que ma santé se détache de moi comme ces feuilles qui volent au vent. J'ai en plus attrapé un rhume. Il me semble que je suis constamment enrhumée depuis que tu n'es plus là à me réchauffer les mains sur ta poitrine, laquelle était toujours si chaude que seules les glaces du fleuve Saint-Laurent pourraient peut-être la tempérer.

Sassa,
de Shanghai

57

Ta mère a perdu le sommeil ces jours-ci. La sœur de Sassa est venue lui dire des choses incompréhensibles. Le bureau des passeports a retrouvé le dossier de ta fiancée il y a plusieurs semaines. Elle a enfin reçu son passeport la semaine dernière mais ne veut pas se présenter au consulat canadien. Sa sœur croit que c'est à cause de toi. Sassa a une amie dont tu m'as parlé quelquefois. Elle s'appelle Da Li et habite maintenant à Montréal. Les deux filles s'écrivent régulièrement. Personne ne sait ce que disent ces lettres. Chaque fois qu'elle reçoit la lettre de son amie, Sassa a une saute d'humeur qui n'échappe pas à sa sœur. Ainsi, depuis un certain temps, ta bien-aimée a enlevé ta photo de son bureau et l'a posée au fond du tiroir. Sa sœur n'a pas pu accepter cela, semble-t-il : elle s'attendait à devenir ta belle-sœur et à réaliser son rêve américain.

Ta mère, elle, a aimé Sassa dès le jour où tu nous l'as présentée. «C'est une fille du vieux temps», disait-elle souvent. Elle lui a mis à la main une bague qu'elle avait reçue de sa belle-mère, espérant que vous seriez aussi heureux que nous et passeriez toute la vie ensemble. Combien nous souhaitons, ta mère et moi, avoir de vous des petits-enfants, beaucoup de petits-enfants. Nous ne pouvons pas imaginer une vie sans enfants. Nous pensons qu'il vous ferait du bien de vivre à l'étranger où vous seriez ainsi libres de faire des enfants. Nous n'ignorons pas que, là-bas, pour avoir des enfants, les gens ont besoin d'être encouragés, parce que l'amour y dure aussi peu que le printemps, que la carrière y est plus importante que la famille, que l'orgueil l'emporte sur l'humiliation et que le présent y fait oublier l'avenir. Mais toi, tu es malgré tout Chinois. Tu ne deviendras jamais comme ces jeunes garçons qui, d'après ce qu'on raconte, changent de fille comme de vêtement. Tu resteras fidèle à ton amour. Tu ne décevras pas tes parents. N'est-ce pas, mon fils? Si ton séjour à l'étranger te faisait perdre ton premier amour, si je ne te rendais pas plus heureux en t'envoyant vivre dans un pays plus moderne, comment voudrais-tu que ton père devenu vieux puisse fermer ses yeux à sa mort?

Tu n'as pas à nous dire ce que tu as fait à Montréal. Si tu commets quelques imprudences, il n'est pas trop tard pour les réparer. Sassa ne se sent pas très bien. Elle a besoin de soins attentifs. Ta mère a l'intention de l'inviter à passer quelques semaines chez nous. La pauvre fille ne se repose pas vraiment dans la chambre qu'elle partage avec sa sœur. Ta mère te demande si elle pourrait dire à Sassa que tu l'aimes toujours?

Ton père,
de Shanghai

58

Oui, mon père, tu pourras assurer maman que je n'ai pas changé et que j'attends impatiemment de retrouver Sassa.

Car, bien que je sois incertain de la nature de l'amour et que j'hésite à le considérer comme un contrat céleste plutôt que comme un jeu capricieux du sort, je suis convaincu qu'une relation stable fait du bien à tous. Je l'ai appris non seulement de vous, mon père, mais aussi de Nicolas et de Marguerite. Eux, ils veulent une vie remplie d'amours intenses et de douleurs aiguës. Leur relation ne durerait pas s'ils étaient trop fidèles l'un à l'autre. «De nos jours, a expliqué Nicolas, on essaie d'être fidèle dans l'infidélité.» C'est cela. Vivant dans un monde qui tourne à une vitesse accélérée à l'extrême et incapables ou impatients de renouveler leur amour trop vite vieilli comme le reste, les gens d'ici ont besoin de mensonges pour alimenter leur amour, de déchirements pour fortifier leur cœur et de beaucoup de café et d'alcool pour stimuler leur corps. Ils renoncent à la fidélité dans l'amour parce qu'elle est plus difficile que la trahison. Quand arrive le moment d'une inévitable trahison, ils aiment mieux trahir les autres que de se trahir eux-mêmes, car ils se croient plus importants que leurs semblables. Ils ne trouvent pas de poésie touchante ni de complicité agréable dans une longue relation où l'on se comprend tellement qu'on n'a plus rien à se dire. Pour eux, la tranquillité signifie la mort et le bouleversement, le salut. Tout doit être en mouvement pour qu'ils se sentent en vie. Ils ont horreur de tout ce qui est stable, ce qui leur apparaît comme des prisons. Ils finissent par se faire prisonniers hors des prisons. On appelle cela l'esprit moderne.

Je suis différent en cela de Nicolas et de Marguerite, non pas parce que je suis Chinois, comme vous dites et comme le pense Nicolas, mais parce que je suis démodé. Je le sais par une amie chinoise qui m'a dit : «Au fond, tu n'es qu'un homme du vieux style.» Elle me croyait malheureux d'être ce que je suis. Pourtant, je me sens au moins aussi heureux dans la tranquillité que les autres dans l'agitation. Je n'éprouve véritablement les choses que lorsqu'elles arrêtent de tourner devant moi et en moi. Vous savez pourquoi Sassa me plaît? C'est qu'elle ne tourne pas sans cesse devant moi, de sorte que je peux sentir son être vrai. Elle fait peu de sport et elle parle peu.

Mais, bien sûr, dès qu'elle viendra à Montréal, elle voudra peut-être s'inscrire à un cours de sport et à un autre cours pour apprendre à parler en public, ce qui lui sera nécessaire pour se montrer normale, intéressante et utile, pouvant ainsi «s'intégrer» un peu aux tourbillons de ce monde.

Votre fils,
de Montréal

59

Comment vas-tu, Sassa? Tu te sens mieux? Combien j'envie tes parents qui peuvent te soigner, te faire du thé et te cuire des nouilles! Oh! sois gentille, donne-moi une chance... Tu m'entends, Sassa? Tu entends ma voix qui supplie et mon âme qui soupire?

Tu dois venir, Sassa. Tu ne m'en veux pas de te parler de «devoir», n'est-ce pas? Nous, toi et moi, nous comprenons parfaitement ce que veut dire «devoir». Mais il arrive souvent que nous ne trouvions pas, dans la langue française, un concept équivalent qui exprimerait ce qui nous paraît évident en chinois. Tu seras donc étonnée de voir, en arrivant à Montréal, que le mot «devoir» n'est pas aussi apprécié que chez nous. Quand tu sens une grande envie de rendre un service à ton ami, tu auras mille façons de le dire. Mais ne dis jamais: «Je dois le faire pour toi», car l'autre répliquera immanquablement: «Tu ne dois pas le faire», en appuyant avec mécontentement sur «dois». Autrement, tu risqueras de perdre une amitié.

Or, nous avons grandi dans les devoirs et nous les trouvons tout naturels, nobles et souvent joyeux. Nous avons des devoirs vis-à-vis de nos parents, de nos amis et, plus tard, de la personne que nous épousons, de nos enfants, de tous ceux qui nous sont chers. Mais nous avons toujours un peu de timidité et même de honte à proclamer nos droits, le mot se retrouvant rarement dans notre vocabulaire. À Montréal, il nous faut penser et réagir autrement : nous charmons les amis avec nos «droits»; nous les blessons ou les ennuyons avec nos «devoirs». Nous pouvons crier nos droits à pleins poumons, alors que nous devons parler des devoirs avec prudence.

Est-ce que tu me suis, chérie? Je sais que ce n'est pas facile au début. Voilà pourquoi je me charge de te faire un tout petit lavage de cerveau pour te préparer à la vie d'ici. Et surtout, je te demande pardon si parfois je perds pied malgré moi dans ce mélange de devoirs et de droits, et que je me trompe sur la place à leur accorder au fond de moi. Tu me pardonnes, n'est-ce pas? Dis-moi que tu me pardonnes, Sassa!

Puisque je t'aime et que tu n'as pas dit que tu ne m'aimais pas, je me permets d'exprimer ma pensée et à la chinoise et à l'américaine : j'ai le droit et le devoir de te retrouver; toi tu as le droit et le devoir de venir me rejoindre; nous avons le droit et le devoir d'être ensemble.

Yuan,
de Montréal

60

Je suis très reconnaissante, Da Li, de ce que ton oncle a fait pour moi en mettant en jeu sa réputation et sa carrière. Je n'aurais pas reçu le passeport sans ses efforts, car j'ai des problèmes au foie selon l'examen médical. Inutile d'aller au consulat canadien avec un tel état de santé : les critères y sont sûrement plus sévères encore, et tu n'as pas d'autre oncle ambassadeur.

Je reste donc à Shanghai malgré tout. Malgré Yuan, malgré notre passé, et au grand désespoir de ma sœur. Mais qui sait si ce n'est pas au fond une bonne chose pour tous ?

Est-ce que tu t'entends toujours bien avec ton ami ? Tu m'as dit qu'il a une fiancée à Shanghai. Je pense que ce ne devrait pas être un obstacle pour vous. Un vrai amour ne connaît pas d'obstacles. D'ailleurs, il devrait être basé sur la même terre. Un amour suspendu entre deux terres perd son énergie dans l'air. Alors que vous, vous êtes ensemble. C'est une chance, crois-moi, que tout le monde ne connaît pas. Vous êtes nés dans une même ville et à peu près à la même époque, vous quittez tous les deux votre pays pour émigrer dans une même ville étrangère et enfin vos yeux se rencontrent dans une rue où les autres passent des années et des années sans se connaître. Ce n'est pas rien, tout cela. Quelque chose est là, une volonté inconnue que tu ne peux pas nier. Pourquoi renoncer à un présent et peut-être à un futur à cause du passé? Pourquoi n'essayez-vous pas d'être plus modestes dans la vie en suivant simplement votre destin? J'espère que tu le convaincras de t'aimer et que tu seras joyeuse comme autrefois, d'autant plus que je ne peux pas l'être.

Sassa,
de Shanghai

P.-S. : Quand tu rencontres Yuan, ne parle pas de ma santé. Je ne veux pas le bouleverser.

61

J'ai décidé de partir, Sassa. Je t'ai dit cette phrase il n'y a pas longtemps à Shanghai. Il me semble que cette phrase m'a suivie depuis ma naissance et elle restera en moi pour toujours. C'est que je ne supporte pas la mort des personnes et des choses. Quand mon grand-père est décédé, j'avais quatorze ans et j'ai pris le train pour Beijing. Je suis restée chez ma tante pendant plusieurs mois pour fuir l'ombre que cette mort avait laissée sur le visage de mon père. Au collège des langues étrangères, à dix-huit ans, j'ai failli abandonner mes études à cause de toi qui étais fâchée, parce que j'avais trop ri quand Su Yuan m'avait parlé. J'ai réussi à changer de classe ; je me sentais mieux et les garçons, qui n'étaient pas comme Su Yuan, me regardaient. L'année dernière, je t'ai dit : «Je dois partir», puisque tant de monde partait à ce moment-là sans savoir exactement pourquoi, mais chacun avec une illusion mourante qu'il espérait sauver dans un endroit plus prometteur, sinon s'en débarrasser définitivement. Il y a donc parmi mes compatriotes ceux qui, afin de devenir de vrais penseurs ou artistes, viennent en Amérique du Nord reconnue pour sa liberté d'expression, mais finissent par découvrir leur talent dans la restauration ou dans le commerce des sous-vêtements.

Je connais pourtant très bien la raison de mon départ cette fois-ci : il faut que je le quitte et que je fuie mon amour pour lui. Conçu à la fois selon les vieux livres chinois et selon les nouveaux films occidentaux, cet amour est comme un fœtus handicapé et ne survivra pas, même si, plus tard, il devient libre. Nous ne serons jamais vraiment libres. Nous n'arrivons pas à être ensemble sans nous sentir coupables. Je me rends compte de mon immoralité et lui de sa trahison. Ni lui ni moi ne pouvons oublier le passé. Nous avons eu beau quitter notre terre : l'esprit de Maître Con nous a suivis jusqu'ici pour écraser notre simple bonheur et pour nous compliquer la vie.

Su Yuan est fâché contre moi ces jours-ci. Il soupçonne que ce sont mes lettres qui t'ont dissuadée de venir à Montréal. Crois-tu que c'est juste ? J'ai pourtant toujours souhaité que toi et lui vous soyez tous les deux heureux. Je ne t'ai jamais dit du mal de lui. D'ailleurs, il me semble qu'il est toujours le parfait fiancé de sa Sassa. Malgré tout, je suis énormément reconnaissante de ce qu'il a fait pour moi. Sans lui, mon séjour dans cette ville étrangère m'aurait été plus difficile.

J'irai à Paris dans une semaine. Pas besoin de te dire combien cette ville me fascine. Tu sais comment notre jeunesse est marquée par cette ville : c'est un peu pour elle que nous avons étudié le français, passé les meilleurs moments de notre vie à conjuguer les absurdes verbes, en croyant qu'ailleurs est meilleur que chez nous. Marguerite a remarqué que les Nord-Américains parlent moins quand ils se trouvent à Paris. Y a-t-il encore un endroit qui puisse faire taire les Nord-Américains ? Paris est donc extraordinaire !

Et Nicolas a mentionné, en revenant de là-bas, que c'est peut-être la brutalité des Parisiens, la saleté des toilettes et la lenteur des services qui rendent les gens silencieux. Paris est peut-être plus spéciale que je ne le croyais. Quelle ressemblance avec Shanghai, à en croire Nicolas. Voilà pourquoi, peut-être, les Shanghaïens se prennent pour les «Parisiens à l'Orient». Je sais déjà que mon séjour à Paris ne sera pas facile. Il n'est jamais facile de voir en face des choses trop longtemps rêvées. Mais que veux-tu? On vit pour des choses rêvées.

Je commencerai à suivre des cours d'histoire dès le printemps prochain. Les parents de Marguerite auront la générosité de m'accueillir chez eux. Si je me débrouille bien, je retournerai à Montréal et même à Shanghai. Je ne sais pas quand ni comment, mais je reviendrai. Je reviendrai, comme je l'avais dit à ma tante dans la gare de Beijing après la mort de mon grand-père, comme je l'ai dit il y a quelques mois à ma mère à l'aéroport de Shanghai, comme je le dirai peut-être plus tard à Paris aux parents de Marguerite. Je reviendrai, mais d'abord il faut que je m'enfuie. Je te donnerai des nouvelles quand je serai de nouveau installée, si jamais je peux l'être, bien sûr.

Adieu, Sassa, et prends bien soin de toi.

Da Li,
de Montréal

62

Je ne vois pas, cher Yuan, ce que j'ai à te pardonner. Et je ne veux pas le savoir. Pourtant, je comprends trop bien que nous ne pouvons pas vivre dans un monde sans relâcher un peu, sinon complètement, les principes et les habitudes d'un autre monde. C'est comme si nous n'arrivions pas toujours à interpréter un concept chinois en français. Pour parler français, nous ont enseigné nos professeurs de langue, il faut réfléchir en français. De même en amour.

Quand nous sommes amoureux, nous nous écrivons des lettres. Toi qui écris bien fais en plus des poèmes. Ceux qui ne savent pas écrire se chantent des chansons. Je l'ai dit à mon amie française. Elle a ouvert grand les yeux : « Ah ! c'est très beau ! Mais vous ne faites pas l'amour ? » À Montréal comme dans les autres villes occidentales, je crois, on ne s'aime pas de la même façon que chez nous. Je devine que si Nicolas et Marguerite s'aiment, ils font l'amour dès le premier jour ; s'ils ne le font pas tout de suite, c'est parce qu'ils ne s'aiment pas assez encore ; le jour où ils ne feront plus l'amour ensemble, ils se quitteront. Est-ce que je me trompe ? Je comprends alors pourquoi l'ami de Da Li (t'a-t-elle parlé de son ami qu'elle aime vraiment ?) n'a pas pu rester fidèle à sa fiancée au loin. Il fait l'amour à Montréal et envoie des lettres à Shanghai, car il vit dans deux mondes et il aime de deux façons. Je trouve ça très correct.

Alors ne va pas, mon cher ami, chercher des causes qui n'existent pas si je choisis de rester à Shanghai. Je préfère ne pas partir, parce que je n'ai pas autant de courage que toi. Je ne me suis jamais vraiment habituée à cette ville où j'ai vécu tant d'années. Comment pourrais-je aller faire face à un monde presque inconnu? J'ai tenté de venir te rejoindre parce que je t'aime. Je t'aime d'une façon démodée même dans notre pays, en relisant tous les jours les poèmes que tu m'as écrits.

— Tu aimes davantage ses poèmes que lui, a dit ma sœur.

Mais, sans ces poèmes, que deviendrais-tu avec tes commandes de logiciels que tout le monde peut apprendre? Qu'y a-t-il d'autre que ces poèmes d'amour qui te rendraient pour moi unique dans la multitude des gens qui passent dans notre vie? Or, je réalise maintenant que cet amour t'ennuiera tôt ou tard. Ma tête raisonnable me dit que toutes les amours finissent par ennuyer dans un monde où les droits sont plus importants que les devoirs, les cravates ou les bijoux plus importants que les poèmes et les os et les chairs plus importants que les sourires.

Donc je reste ici. Il est vrai que je ne serai pas plus heureuse ici qu'ailleurs. Dans notre ville, les amours meurent à une fréquence qui égalera bientôt celle de Montréal. Nous, les citoyens d'un pays arriéré, nous nous modernisons malgré nous, avec le reste du monde. Pourtant, je ne quitterai pas ce pays où nous nous sommes rencontrés et qui est devenu unique grâce à tes poèmes. Quand un amour est trop malade, on ne le transporte pas, afin d'éviter les complications. On attend tranquillement sa fin, on l'enterre dans son lieu de naissance et on inscrit des poèmes sur sa tombe, dans sa propre langue.

Sassa,
de Shanghai

63

Imagines-tu, ma cruelle, l'effet que ta dure lettre a produit sur moi? Et si tu le savais, tu le savais sans doute, pourquoi me fais-tu cela? Il y a des limites à plaisanter ou... se venger! Tu sais, la première neige est tombée cet après-midi. Elle est arrivée doucement dans la cour silencieuse. Mais elle m'a laissé indifférent. Trop de douleur tordait mes entrailles, et je n'avais pas la force de me lever de ma chaise, de m'approcher de la fenêtre pour contempler la neige dont la blancheur ressemblait à celle de l'enveloppe de ta lettre. J'avais peur de cette neige.

Pourtant, nous l'avions désirée depuis si longtemps. Le Canada et la Sibérie étaient devenus pour nous des endroits féeriques juste pour leur neige, depuis qu'elle se faisait de plus en plus rare à Shanghai. En abandonnant un cours ou une réunion au bureau, nous attendions des heures, mais en vain, dans la rue ou dans un parc pour voir la neige qui ne tombait toujours pas malgré les bulletins de la météo. Quand elle venait enfin, elle ne s'accrochait pas aux branches des arbres; pas question bien sûr de nous lancer des boules fumantes de neige sur le corps, de nous rouler sur la douceur humide de son tapis ou d'en faire une grande poupée drôle dans la cour. Nous préférions alors nous exiler en Sibérie ou émigrer au Canada. Nous rêvions des endroits loin de chez nous. Nous lisions ces histoires de Persans qui, en traversant les montagnes et les déserts, étaient venus en Chine chercher une vie meilleure, sans se rendre compte qu'ils allaient y devenir des minorités ayant besoin d'être protégées par des majorités, avec générosité et méthode. Nous étions fascinés par leur vie d'étrangers. Tu vois, nous avions tant de choses en commun en ce temps-là.

Il me semble maintenant que tu as changé. Tu me donnes l'impression que tu n'aimes pas les étrangers. Tu les adores dans les films ou dans les livres. Tu ne veux pas vivre avec eux. Dès que tu sens chez moi une certaine odeur «étrangère», tu m'abandonnes. N'est-ce pas pour ça que tu m'abandonnes, pour être tout à fait sincère?

Mais que deviendrai-je sans toi? Je sais que je suis en train de vivre une métamorphose qui peut-être ne me mène nulle part. Ce n'est pas mauvais, mais pas du tout, de vivre comme Nicolas. Seulement, je n'ai pas vécu en vain toutes ces années à Shanghai. Je suis marqué pour la vie. Dans ce cas-là, si je ne reste pas fermement moi-même, si je n'essaie pas de rester Chinois, plus Chinois que tante Louise, je ne serai rien du tout. Mais comment être moi-même sans toi? Je suis comme un cerf-volant qui vole très loin, vraiment très loin, et dont la corde est entre tes mains. Si tu lâches la corde, où ira-t-il, ce cerf-volant?

Yuan,
de Montréal

64

Si tu me demandes mon avis, cher Yuan, je trouve qu'il est plus intéressant d'être tante Louise que d'être Shanghaïen. Outre l'avantage d'avoir de temps à autre sur sa table du pain au lieu du riz qui devait tant l'ennuyer dans son enfance, elle a probablement acquis une modestie du locataire à force de vivre à l'étranger. Elle n'a peut-être pas le sentiment insolent du propriétaire, un sentiment que la Shangaïenne que je suis n'arrive pas à réprimer totalement. Un sentiment qui me fait croire que ceux qui se promènent dans «notre» rue et travaillent dans «nos» entreprises sans parler shanghaïen sont des étrangers. Un sentiment qui me «remue» devant la «générosité» des Shanghaïens qui «accordent» les mêmes droits aux provinciaux. Un sentiment qui tolère mon constant mécontentement envers le gouvernement, lequel est supposé me rendre heureuse, plus heureuse que les autres si c'est possible, parce que mes arrière-grands-parents sont nés dans cette ville. Un sentiment qui me pousse à percevoir mes droits comme on perçoit ses loyers. Tante Louise, elle, a peut-être développé un caractère plus agréable en vivant là-bas. Elle est au moins plus prudente que moi, sans doute, en ce qui concerne ses droits, puisque le droit de vivre dans son pays actuel lui est accordé, alors que j'ai imposé aux autres mon droit de vivre à Shanghai par ma naissance.

Tu vois, il n'est pas si intéressant de rester Shanghaïen. Tu es parti un peu pour cela, et il n'y a pas de raison que tu changes d'avis. Et puis, ne me confie pas tes cordes, sinon tu risques de tomber par terre. Tu voleras très bien sans moi. Un cerf-volant incapable de voler sans sa corde ressemble à cet idiot qui, ayant trouvé un moyen de faire un trou dans un mur pour s'évader de la prison, se croit perdu le jour où ce même mur est enlevé.

Je ne peux pas écrire plus longtemps. La fatigue me revient. Cette fatigue meurtrière...

Sassa,
de Shanghai

65

Sassa s'est installée dans un hôpital selon les recommandations de son médecin. Elle a besoin d'un traitement rigoureux. Les docteurs regrettent que son problème au foie n'ait pas été remarqué plus tôt. Mais ils affirment qu'elle ne court pas de grands dangers grâce à son jeune âge et à des soins attentifs. Sa sœur est venue nous informer de tout cela, à l'insu de Sassa, bien entendu. Ta mère n'a pas pu résister à l'envie d'aller la voir à l'hôpital et elle l'a trouvée un peu amaigrie quoique de bonne humeur. C'est une fille très renfermée et déterminée. Nous souhaitons tous qu'elle se remette bientôt.

Ce serait bien de lui écrire quelques mots pour l'encourager. Mais essaie de te concentrer quand même sur tes études. Nous sommes là, ta mère et moi, pour nous occuper de Sassa avec ses parents.

Ta mère t'a tricoté un chandail épais. Elle te l'enverra avec quelques herbes spéciales pour prévenir les rhumes en hiver.

Ton père,
de Shanghai

66

Sassa, mon père m'a dit que tu es à l'hôpital. Comment te sens-tu maintenant? Écris-moi, je t'en prie! Laisse-moi au moins savoir ce qui t'est arrivé! Nous avons juré de partager nos joies et nos souffrances, est-ce toujours vrai?

J'aimerais bien que tu le saches, Sassa : je suis prêt à revenir à Shanghai si tu le veux ; je serai auprès de toi si tu as besoin de moi. Est-ce que tu as besoin de moi, Sassa? Réponds-moi, au nom du ciel!

Je ne vais pas aux cours, je ne vois personne, je ne vis plus : j'attends ta réponse.

Yuan,
de Montréal

67

Non, ne viens pas, Yuan. Ça ne sert à rien.

J'ai gardé la feuille pourpre que tu m'as envoyée. Te souviens-tu de *La Splendeur du sang*? Chante-la, et puis oublie-moi. Si tu m'aimes vraiment, fais ce que je te dis. Profite bien de ta vie, de tes jours et de tes instants. Voilà ce que je désire le plus.

Sassa,
de Shanghai

P.-S. : Les lettres sont interdites par mon médecin.

68

Encore un mot, le dernier : si le cerf-volant n'avait pas peur de chuter ? Et si je tenais à être cet idiot qui ne s'enfuit pas ?

Yuan,
de Montréal

69

Un cerf-volant par terre ne vaut plus rien.
Et puis, je n'aime pas beaucoup les idiots.
Adieu, Yuan.

Sassa,
de Shanghai

Achevé d'imprimer
en septembre 1993 sur les presses
des Ateliers Graphiques Marc Veilleux Inc.
Cap-Saint-Ignace (Québec).